Louis Vuitton Tambour

Fabienne Reybaud

Publié à l'occasion du vingtième anniversaire de l'entrée du malletier dans l'horlogerie, *Louis Vuitton Tambour* retrace ce parcours audacieux et singulier, jalonné de garde temps exceptionnels. Afin de créer des montres au style mémorable, sans succomber pour autant à la dictature d'une mode éphémère, la maison s'est associée aux artisans les plus qualifiés de la haute horlogerie suisse, œuvrant au sein de La Fabrique du Temps Louis Vuitton, la manufacture genevoise à l'origine de sa réputation d'excellence. En revendiquant une créativité libre, en parfaite adéquation avec le dynamisme et le glamour de la marque, Louis Vuitton a construit un modèle horloger unique dont la montre Tambour, lancée en 2002, est le fruit le plus emblématique.

Fabienne Reybaud, journaliste et experte en horlogerie de luxe, remonte dans ces pages à la source de l'histoire horlogère de Louis Vuitton, explore les origines de la conception de la Tambour et plonge au cœur du travail de précision de La Fabrique du Temps. Un inventaire des principaux modèles, ainsi que des analyses exclusives de grands connaisseurs de l'horlogerie, font de cet ouvrage une véritable bible pour les passionnés et les collectionneurs. Avec plus de 350 illustrations et une mise en pages sophistiquée, ce livre est un objet à part entière, destiné tant aux amateurs de montres de caractère qu'à ceux de l'esprit Louis Vuitton.

Fabienne Reybaud est journaliste et experte en produits de luxe. Elle a été responsable des rubriques horlogerie et joaillerie au *Figaro* pendant vingt-cinq ans. Aujourd'hui journaliste indépendante, elle collabore notamment pour *Paris Match* et *Numéro*. Elle a écrit une dizaine de livres, dont *Montres – Le Guide de l'amateur* (Assouline, 2006, 2010), *Casa Lopez – Un art de vivre* (avec Pierre Sauvage, Flammarion, 2018), *Rolex – L'Impossible collection* (Assouline, 2018) et *Chanel – Joaillerie et horlogerie* (Assouline, 2020).

ames
udson

ISBN 978-0-500-02610-6 €125.00

Louis Vuitton

Tambour

Louis Vuitton
Tambour

Fabienne Reybaud

Selon l'historien romain Pline l'Ancien, l'amphithéâtre a été conçu en 53 av. J.-C., à l'occasion de jeux organisés par l'homme d'État et militaire Caius Scribonius Curio, dit Curion. L'idée était de réunir deux théâtres semi-circulaires, de créer une forme fermée. L'amphithéâtre romain deviendra ainsi un cercle ou un ovale d'un seul tenant, avec des gradins à forte déclivité pour offrir la meilleure visibilité possible. Les structures en bois d'origine céderont la place à des édifices massifs en pierre permettant de contenir plus efficacement le maelström cinétique des spectacles de l'époque, les combats de gladiateurs en tête. Seuls les divertissements les plus intenses et les plus féroces auront le droit de cité dans les limites de ces vastes murs totémiques.

En 2002, Louis Vuitton, alors au sommet de sa popularité et de son influence mondiale, décide de créer sa propre version de l'amphithéâtre — mais une version considérablement miniaturisée et destinée au délicat poignet humain. Librement inspirée de la forme d'un tambour inversé, fixée par des cornes centrales et baptisée « Tambour », cette montre renferme un spectacle visuel digne de ceux qui ont été accueillis dans les plus célèbres colisées, un spectacle interprété dans une nouvelle langue horlogère d'une grande singularité et d'une merveilleuse inventivité.

Le modèle Tambour reflète à mon sens l'une des visions les plus hautement créatives, techniquement brillantes et profondément originales dans le domaine de l'horlogerie, une vision que l'on a parfois tendance à négliger en raison de l'ampleur de la renommée et du succès de Louis Vuitton dans d'autres secteurs. La patte horlogère du malletier est pourtant clairement identifiable. On pense à l'artiste iconoclaste Jackson Pollock, qui utilisait son corps comme un tourbillon pour faire couler la peinture directement sur la toile, inventant ainsi un langage visuel entièrement nouveau qu'il appelait *action painting*. Louis Vuitton s'est de la même façon toujours efforcé d'insuffler de l'esprit, de l'émotion et de l'expressivité dans un domaine traditionnellement sage, restreint et tourné vers l'ancien temps. Jean Arnault, l'actuel directeur marketing et développement de l'horlogerie, exprime très bien cette idée : « Nous ne sommes pas prisonniers de notre passé. Parce que nous sommes une jeune marque horlogère qui n'a jamais cessé d'être créative, nous avons la liberté d'emprunter notre propre chemin. Toujours dans le plus grand respect de l'artisanat et de la valeur technique, mais d'une manière tout à fait originale et qui correspond intimement à notre identité. »

Le meilleur exemple de la contribution de Louis Vuitton à la tradition horlogère est peut-être la montre nommée Spin Time. Dans l'amphithéâtre du boîtier Tambour, un étonnant geste d'*action painting* horloger se produit : un minuscule mouvement de 30 millimètres est relié par des tiges à douze cubes rotatifs et chaque fois que l'aiguille des minutes achève un tour complet, le cube représentant l'heure exacte tourne immédiatement comme un derviche pour signifier qu'une nouvelle heure a fait son apparition. La Spin Time est une création novatrice en ce sens qu'elle va à l'encontre de l'idée conventionnelle d'un temps qui avancerait à marche forcée avec un impérialisme dogmatique. Au contraire, elle le transforme en un langage hypercinétique qui permet à celui ou celle qui la porte de transcender la banalité du monde des mortels. Elle est née d'un constat : nous sommes aujourd'hui en permanence confrontés à l'affichage du temps sur des appareils électroniques, ce qui rend la montre mécanique tout bonnement inutile. Elle incarne pourtant une prise de conscience : l'inutilité ou l'anachronisme d'un garde-temps est ce qui lui confère son charme. C'est pourquoi la maison Louis Vuitton, en collaboration avec les maîtres horlogers Michel Navas et Enrico Barbasini, a créé une complication dans laquelle l'acte même de donner l'heure prend la forme d'une sculpture en mouvement dont la raison d'être est de susciter une émotion.

La Spin Time n'est que l'une des nombreuses manifestations d'inventivité horlogère qui ont forgé l'identité contemporaine de Louis Vuitton en la matière et de la Tambour.

Le nom « Tambour » évoque un garde-temps d'une puissante expressivité, d'une exécution irréprochable et d'un grand savoir-faire. Mais c'est aussi le symbole même du charme, de l'inattendu et du cool. J'en veux pour preuve la Tambour Carpe Diem de 2021, une montre extraordinaire qui repose sur des automates dotés de plusieurs complications très sophistiquées telles que l'heure sautante et la minute rétrograde, répondant à la notion de *tempus fugit* : son sujet lascivement provocateur se dissimule derrière une exécution artistique digne des dieux. Si la maison a pu réaliser tout cela et bien plus encore avec la Tambour au cours des vingt dernières années, c'est parce qu'elle a toujours repoussé les limites techniques et esthétiques de l'horlogerie afin d'atteindre une singularité et une expressivité émotionnelle synonymes d'une vision et d'un langage horlogers qui n'appartiennent qu'à elle. Si la Tambour peut désormais compter sur sa force historique et son originalité sans égale, Louis Vuitton continuera de s'adresser à une nouvelle génération de clients tout en enchantant les collectionneurs les plus exigeants et les plus acharnés, grâce à son souci inouï de la qualité, de la nuance et du raffinement.

Wei Koh
Fondateur de *Revolution*, *Grail Watch* et *The Rake*

De Paris à Genève, la genèse

I.

AZORES O PARIS
RIO DE JAN.
LONDON
CAIRO
MOSCOW
NEW YORK
SANTIAGO
MAURITIUS
KARACHI
CHICAGO
DACCA
BANGKOK
LOS ANG.
HONGKONG
TAHITI
TOKYO
SYDNEY
date line
LOUIS VUITTON PARIS

GENEVE

LOUIS VUITTON
Q102R
TITANIUM
SWISS MADE
CALIBRE LV133
LA FABRIQUE DU TEMPS
SWISS MADE

LOUIS VUITTON

LOUIS VUITTON
HEURES DU MONDE
AUTOMATIQUE
12
NY L.PAZ RIO S.GEO AZO LON PAR CAI RIY MOS
MEX DEN L.A.
HAW MID AUCK NOU SYD TOK BEI
45
40
35
50
55
60

VUITTON
JEWELS
SWISS
SWISS

De Paris à Genève, la genèse

I.

Le soussigné, mandataire de la Société en nom collectif VUITTON & Fils, propriétaire de la raison de commerce "Louis Vuitton", dont le siège est à Asnières (Seine), rue du Congrès, nº 18, déclare déposer au nom de sa mandante, comme marque de fabrique et de commerce destinée à distinguer une montre ou pendule, la forme caractéristique de l'objet représentée par le dessin ci-joint.

Greffe du Tribunal de Commerce de Paris

Nº 116734

Dépôt du 19 Octobre *19*09 *à* 3 *h*10 de la société en nom collectif VUITTON & Fils Propriétaires de raison " Louis VUITTON " dont le siège est à ASNIERES (Seine) *Représenté par M. Joseph Lanniaux demeurant 4, avenue du Coq, à Paris, suivant pouvoir enregistré et annexé.*

rue du Congrès no 18

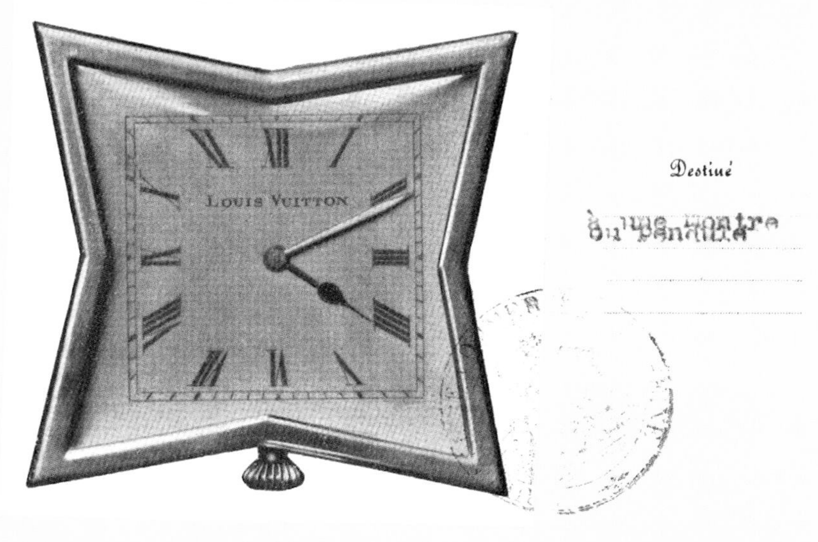

Destiné à une montre ou pendule

Signature du Déposant, *Signature du Greffier,*

Signature du Déposant, *Signature du Greffier,*

En haut Star Clock, dépôt de marque pour montre ou pendule, par la société Vuitton & Fils, 19 octobre 1909 ; *en bas* Réveil Star Clock 8 Days en métal, boîte en écaille, 1921.

Tambour. Nom étrange pour une montre. Ni totalement convexe ni vraiment concave, le design du boîtier l'est aussi. La Tambour surprend, laisse pantois car elle ne ressemble à aucune autre. L'étonnement est d'autant plus grand que Louis Vuitton est attendu dans le domaine de la montre de mode. Or c'est dans celui de l'horlogerie de luxe qu'il entrera. Au début des années 2000, si personne ne connaît encore les intentions du malletier, son ambition point déjà dans le choc stylistique provoqué par ce curieux garde-temps. Un œil averti y perçoit immédiatement de la bravoure : Louis Vuitton fait fi des codes et canons de ce secteur de luxe pour créer *ex nihilo* la pièce qui lui chante. En 2002, ce choix est téméraire. Alors que l'industrie des montres semble en pleine ébullition, les marques qui parviennent à innover en matière de design ou de mécanisme se comptent sur les doigts d'une main. Retenons la J12 en céramique noire, puis blanche, conçue par Chanel, ainsi que la première « Richard Mille », un modèle tonneau à tourbillon high-tech qui fait sensation dans les couloirs de BaselWorld, la foire de Bâle. Cinq ans plus tard, Cartier fera tourner les têtes du monde entier avec la Ballon Bleu et son boîtier joufflu comme un galet. Nul n'imagine encore que Louis Vuitton a taillé sa montre dans l'étoffe des icônes, et qu'en deux décennies seulement, la Tambour s'imposera comme l'une des rares pièces emblématiques du XXIe siècle. La marque va la révéler à « une époque de l'histoire humaine où le concept du temps et sa mesure s'apprêtent à subir des bouleversements grandioses et irréversibles ».

Après avoir pris de plein fouet la déferlante des mouvements à quartz asiatiques dans les années 1970-1980, la Suisse vient de recouvrer ses esprits en renouant avec son industrie horlogère traditionnelle mécanique. Ironie de l'histoire, c'est en partie grâce au succès mondial d'une montre à pile, la Swatch, lancée en 1983, que plusieurs manufactures et unités de fabrication de mouvements helvètes ont pu être sauvées du marasme.

En 2001, malgré un contexte international catastrophique qui voit l'éclatement de la bulle spéculative des titres internet et les attentats du 11-Septembre, les exportations horlogères suisses reprennent des couleurs. Mais surtout, pour la première fois depuis trente ans, la production de montres mécaniques dépasse en valeur celle des modèles à quartz. Entre 2001 et 2008, le vent a tourné, le secteur de l'horlogerie mécanique haut de gamme enregistre des taux de croissance exponentiels. En parvenant à rétablir sa suprématie mondiale dans les segments supérieurs du marché, la Suisse redevient l'eldorado de la fabrication de ces pièces minuscules qui nécessitent des savoir-faire majuscules.

Dans le même temps, les groupes de luxe commencent à s'intéresser à ces petits objets dont les rouages aimantent les initiés, attirent de nouveaux acteurs et séduisent une population masculine qui voit dans le garde-temps helvétique un accessoire supplémentaire pour affirmer sa personnalité et son style. Non seulement l'horlogerie fabrique des produits à plus forte valeur ajoutée que la famille des cravates, souliers, ceintures et autres, mais elle dispose d'une histoire, d'une culture, ainsi que d'un potentiel affectif et émotionnel extraordinaire. Le storytelling n'a pas encore été inventé que le parfum exhalé par ces augustes manufactures parties à la conquête du temps depuis plus d'un siècle enchante déjà les acteurs en présence. De grands groupes se constituent en réveillant de belles endormies, tandis que d'autres préfèrent plonger tête la première dans cet univers complexe. De rachats de marques existantes en créations de pôles horlogers, le visage de cette industrie se scinde en deux au début des années 2000. Les nouveaux venus n'ont d'autre choix que de tenter de rivaliser avec les gardiens du temple de la « belle horlogerie helvétique classique » ou céder aux sirènes de la montre « de mode », secteur à renouvellement rapide dans lequel le produit compte moins que la griffe apposée sur le cadran des modèles. Louis Vuitton n'empruntera aucune de ces deux voies pour en créer une troisième, qui lui permettra de s'affirmer.

AUTOMOBILE RUGS, GUARANTEED PURE SHETLAND

MADE SPECIALLY FOR LOUIS VUITTON

L.V'S MOTOR BAG

ASK FOR AUTOMOBILE CATALOGUE

44

L'HEURE EN VOYAGE

Si la montre est essentiellement pratique, il n'en est pas moins vrai que son usage est quelquefois gênant. Lisez-vous, procédez-vous à votre habillage, il faut vous déplacer, aller chercher votre montre pour voir l'heure. La pendulette, au contraire, renseigne instantanément. Mais, encombrante, elle ne peut être employée que chez soi. Il fallait à la fois à l'indicateur de l'heure rêvé tous les avantages de la montre joints à ceux de la pendulette. Nos montres pliantes répondent à ce désir. En dehors de ces avantages, en voyage l'agrément se trouve doublé, car c'est un peu de notre "home" qui, fidèle, nous suit partout.

Le modèle pratique trouvé, la plus grande liberté était laissée pour la production de bibelots artistiques, et c'est alors que nous avons créé ces fantaisies délicieuses : Le "Star-Clock", sous étui cuir, puis ses dérivés avec cadre émail fond argent ajouré ou tout émail, des extérieurs en argent poli, ciselé, émaillé, puis des diminutifs sur chevalet, dans des boîtes carrées donnant l'aspect de minuscules bonbonnières.

Dans les grandes tailles, nous arrivons aux réveille-matin, aux calendriers, et même aux montres à répétition qui, par une pression sur un bouton, sonnent l'heure autant de fois que l'on désire.

Chaque jour, de nouvelles créations viennent compléter notre collection, et, chaque jour également, nous créons des modèles spéciaux qui, pièces uniques, ne sont jamais refaits.

Toutes ces montres marchent huit jours sans avoir besoin d'être remontées.

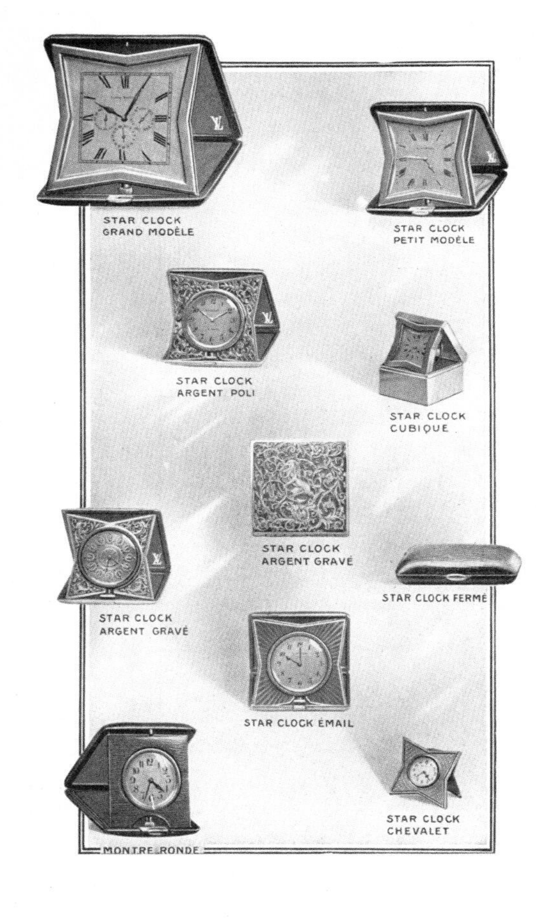

En haut Pages de *Trunks & Bags*, catalogue Louis Vuitton pour l'automobile et le voyage, 1908 ; *en bas* « L'Heure en voyage », pages du catalogue Louis Vuitton *La Promenade des élégants*, 1910.

LOUIS VUITTON

PARIS

AV^E MARCEAU 78 ^BIS ET 35 RUE VERNET - TÉL. : 359.47.00

NICE ; 2 AV^E DE SUÈDE - TÉL. : 80.33.47

USINE : 18 RUE DU CONGRÈS, ASNIÈRES s/s - TÉL. : 473.39.21

TOUS ARTICLES POUR VOYAGEURS DE COMMERCE ET PRÉSENTATION

MALLES, MALLETTES, MARMOTTES, PLATEAUX EN LOZINE BOITES RAYONNAGES, COUVERTURES D'ALBUMS

VUITTON ET FILS - SOCIÉTÉ A RESPONSABILITÉ LIMITÉE AU CAPITAL DE DIX MILLE CINQ CENTS FRANCS

TÉLÉG. ; VUITTON-PARIS ——— R. C. SEINE 57 B 16252 - NUMÉRO D'ENTREPRISE 767 75108 0777L ——— C. C. P. PARIS 382-96

.O.B.J.H.

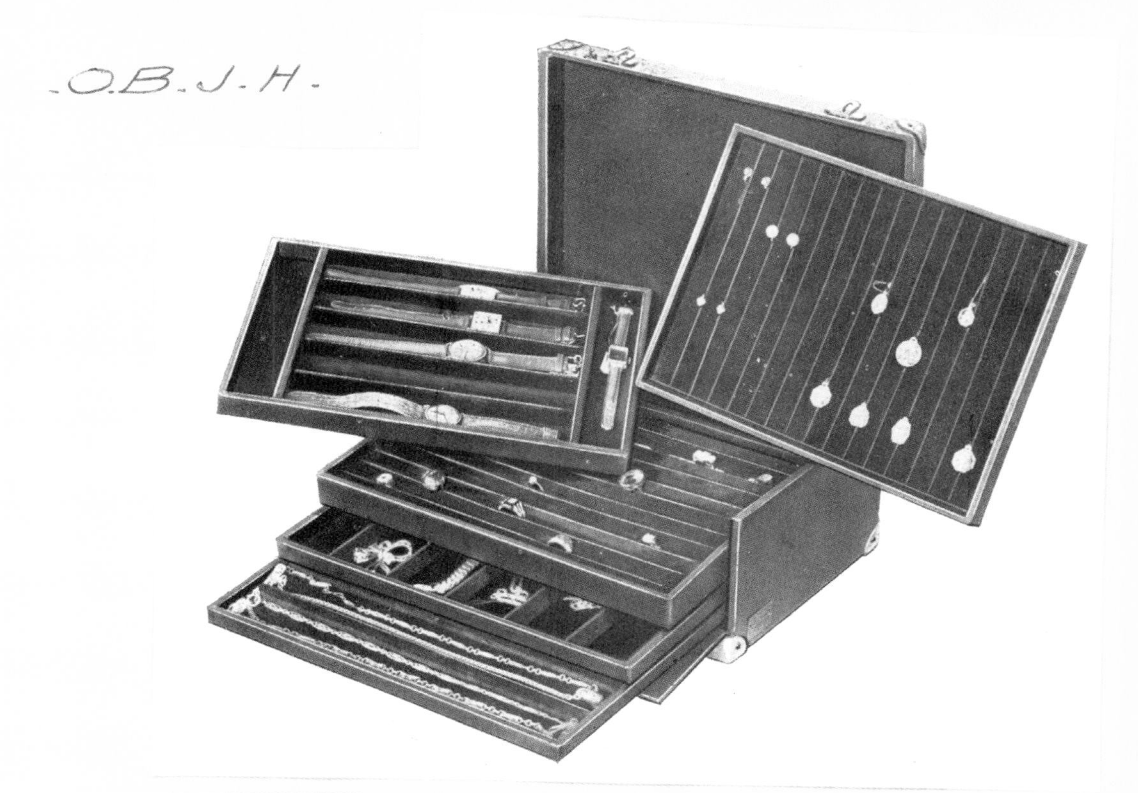

LES PRIX FACTURÉS S'ENTENDENT NETS DE TOUT ESCOMPTE ET LOCO PARIS

Pages dédiées aux malettes horlogerie et joaillerie à devant abattant, album photographique réalisé par Gaston-Louis Vuitton consacré aux bagages pour voyageurs de commerce, 1963.

En haut, à gauche Montre Totem, dessin à gouache et crayon graphite, 1931 ; *en haut, à droite* Extérieur du pavillon Louis Vuitton lors de l'Exposition coloniale internationale de Paris de 1931 avec un totem inspiré des figures tiki des îles Marquises ; *au centre et en bas* Montre Totem au couvercle perforé, cadran présenté fermé (au centre) et ouvert (en bas), 1931.

« En 2002, le monde n'avait pas besoin d'une montre particulière, confie Michael Burke, P.-D.G. de Louis Vuitton. Nous nous sommes lancés dans ce domaine par conviction. Parce que le temps et le voyage sont les deux faces d'une même pièce. Il faut maîtriser le premier pour envisager le second. L'homme est fasciné par la manière dont les heures et secondes sont représentées sur le cadran d'une montre, cela lui procure l'illusion de les contrôler. » Pour le géant du luxe, pénétrer ce terrain inconnu – et mouvant – sonne comme un défi au cours duquel il lui faudra d'abord apprivoiser un savoir-faire séculaire afin de nourrir, ensuite, une créativité et une écriture qui lui soient vraiment propres.

Face à cette page blanche, l'intention est claire, Louis Vuitton souhaite donner aux meilleurs ouvriers les meilleurs outils. Dans un premier temps, la production des montres est établie à La Chaux-de-Fonds, en Suisse. La ville qui a vu naître Le Corbusier est connue pour son expertise en la matière. La marque y aménage une petite unité de fabrication où quatre horlogers officient. Si les débuts sont modestes, ils ne le resteront pas longtemps. Les ateliers s'agrandissent rapidement pour accueillir jusqu'à trente artisans. Quant à la création, Paris en sera le creuset, veillant à insuffler du sens et du style à des pièces hautement techniques qui peuvent parfois en manquer. La fameuse *french touch* alliée à la technologie pointue des Helvètes pavera cette « voie Vuitton » d'intentions pour le moins intrépides et inédites.

Mais en ce XXIe siècle naissant, nul ne donne cher de l'avenir dans cet univers de l'inventeur de la toile Monogram. D'autant que ses racines horlogères semblent ténues, cachées dans l'ombre. En 1910, la marque propose des pendulettes et réveils de voyage dont la vocation première est de compléter les nécessaires du malletier. Logées dans de petits étuis en cuir, les Star Clock fleurissent dans la rubrique « L'heure en voyage » du catalogue Louis Vuitton de l'année, *La Promenade des élégants*. Un an auparavant, l'entreprise a pris soin de déposer au greffe du tribunal de commerce de Paris le design en étoile à quatre branches du cadran de la Star Clock, modèle pliant que le voyageur peut transporter partout avec lui et qui fonctionne huit jours sans avoir besoin d'être remonté. Bien que certains réveils soient parvenus jusqu'à nous, les archives Louis Vuitton ne disposent d'aucune trace de l'atelier horloger qui a conçu leurs mécanismes. Un mystère similaire entoure la première montre-bracelet du malletier, qui aurait été dessinée par Gaston-Louis Vuitton, petit-fils de Louis, en 1931, à l'occasion de l'Exposition coloniale à Paris. « Gaston-Louis Vuitton était un grand collectionneur, notamment d'arts premiers, affirme-t-on au département du patrimoine de la maison. Nous pensons que cette montre était de sa main, car sur le capot perforé du modèle était reproduite la figure noire et rouge du totem inspiré des Tiki des îles Marquises et placé à l'entrée du pavillon de Louis Vuitton de l'Exposition coloniale. Nous ne possédons plus que la gouache en couleurs du couvercle qui recouvrait cette montre, ainsi que deux photographies en noir et blanc du modèle terminé. Nous ignorons ce que cette pièce est devenue. » Créée la même année que la célèbre Reverso de Jaeger-LeCoultre, cette pièce rectangulaire possédait une double fonction. Portée au poignet, l'heure se devinait dans le nez du totem lorsque son capot était rabattu. Ouvert, il servait d'appui à la pièce qui se transformait en une mini-pendulette de bureau. Si la montre de Gaston-Louis Vuitton s'est perdue dans les couloirs du temps, elle témoigne cependant de la volonté du malletier d'ancrer l'horlogerie dans un courant artistique, d'inscrire cet instrument de mesure à l'avant-garde de la création.

Cette filiation originelle avec le monde de l'art réapparaît en 1988 lors de la naissance de la deuxième montre-bracelet conçue par Louis Vuitton. Elle est imaginée par Gae Aulenti (1927-2012). En demandant à la célèbre architecte et designer italienne de lui dessiner un modèle, Henry Racamier, alors P.-D.G. de la marque, introduit – pour la première fois dans l'horlogerie de luxe – la signature

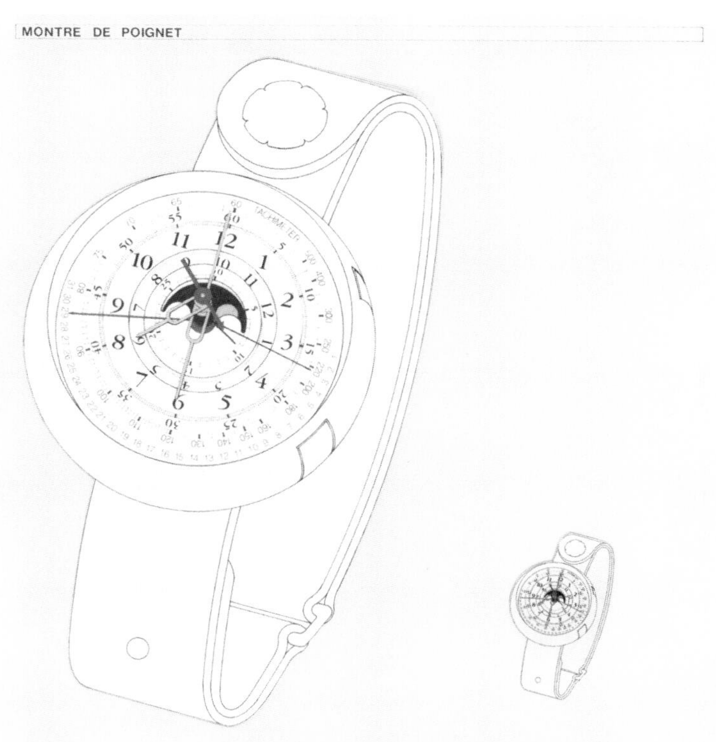

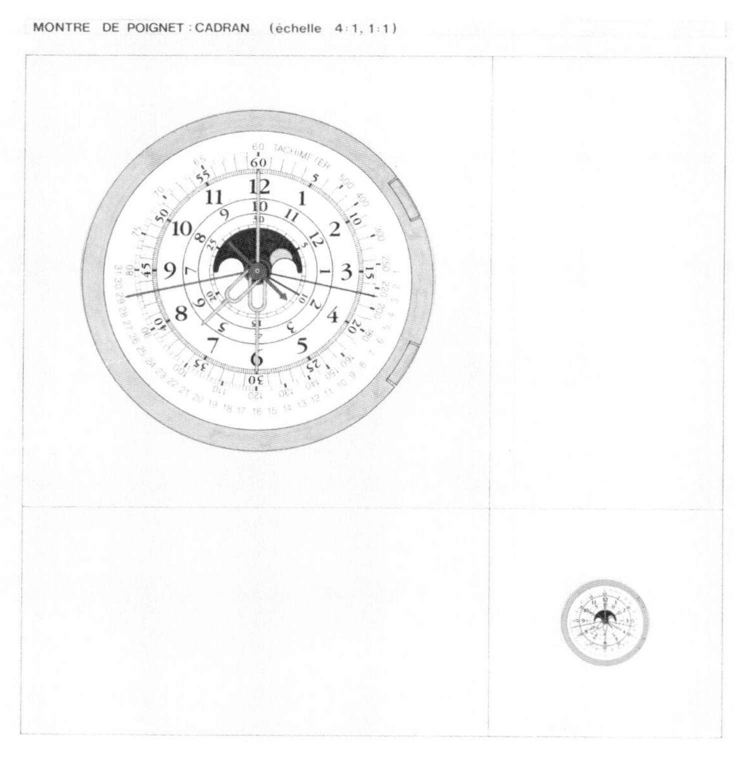

En haut Gae Aulenti, architecte et designer italienne qui a dessiné une collection de stylos et de montres pour Louis Vuitton, 1988 ; *en bas, à gauche* Étude pour la montre LVI, dessinée par Gae Aulenti, 1988 ; *en bas, à droite* Étude pour le cadran de la montre LVI, dessinée par Gae Aulenti, 1988.

25

Montre LVI, dessinée par Gae Aulenti, mouvement à quartz à heures universelles, boîtier en or jaune, 1988.

d'une artiste reconnue, figure majeure du design du XXe siècle. Gae Aulenti s'est illustrée à Paris en transformant la gare d'Orsay en un remarquable musée consacré à l'art du XIXe siècle. Elle a également été en charge de la restructuration des espaces d'exposition du Musée national d'art moderne au Centre Pompidou. La créatrice de la Pipistrello, l'une des lampes les plus célèbres au monde, associe l'art à la fonction et prône une certaine rigueur des formes et des espaces. Pour Gae Aulenti, les liens entre la nature de la montre-bracelet – que l'on transporte sur soi – et l'activité originelle de Louis Vuitton – qui fabrique des malles et des bagages – vont de soi. « Monsieur Racamier voulait une montre. Et j'avais envie de travailler sur de petits objets, déclarait à l'époque l'architecte. J'aimais bien cette idée de voyage et de mémoire du temps. » Gae Aulenti lui donne un visage horloger particulier, en rupture complète avec les codes en vigueur. Sans doute inspirée par la forme parfaitement ronde des anciennes montres de poche, l'Italienne conçoit un boîtier en or jaune d'un seul tenant dont le design mafflu semble posséder des vertus rassérénantes. La couronne de remontoir présente la particularité d'être à la verticale de la pièce, dans le sens du bracelet. Le développement du mouvement est confié à IWC (International Watch Company). En exclusivité pour Louis Vuitton, l'horloger suisse allemand conçoit un calibre à quartz comprenant dix fonctions dont sept dépendent d'un seul axe central. D'âme voyageuse, la Louis Vuitton I (LVI) affiche les heures dans différentes villes du monde, ainsi que les phases de la Lune et la date. Son design sera aussi reproduit sur un carré en twill de soie, Le Temps du voyage, et accompagné d'une ligne d'instruments d'écriture. Cette montre est suivie d'un

second modèle, la Louis Vuitton II (LVII), à fonction réveil, dont le boîtier est taillé dans un matériau alors quasi inédit dans l'horlogerie, l'oxyde de zirconium — à savoir la céramique. Le géant du luxe est l'un des premiers au monde à employer sur un garde-temps cette matière inrayable et inaltérable qui révolutionnera le marché horloger dans les années 2000. Malgré son design mémorable et son corps de céramique teintée en noir ou en vert, la première montre commercialisée par Louis Vuitton ne rencontre pas son public à l'époque. Elle se révèle, de l'aveu même de Michael Burke, « trop en avance sur son temps ». Il n'empêche que la pièce de Gae Aulenti, très recherchée désormais, porte bel et bien déjà les valeurs qui constitueront la Tambour. L'originalité. L'audace. Une forme d'intransigeance dans le design, perceptible également dans la quête inextinguible d'une qualité parfaite, absolue que la marque met un point d'honneur à atteindre dans tous les nouveaux métiers qu'elle investit.

À la fin des années 1990, la maison s'attelle de nouveau au sujet. D'autant qu'un vent horloger souffle au sein de LVMH, dont Louis Vuitton est le fer de lance. Le groupe français vient de racheter les marques helvétiques Ebel, Zenith et TAG Heuer. La Tambour est enfantée dans le pragmatisme, son développement industriel et technique étant confié aux ingénieurs de cette dernière, en Suisse. À Paris, rue du Pont-Neuf, au siège de Louis Vuitton, on sait que l'une des premières vocations de ce bel objet sera d'attirer une clientèle plus masculine dans les magasins d'une marque alors perçue comme essentiellement féminine. « Nous nous sommes demandé ce qui pouvait inciter les hommes à franchir le pas de nos

La montre, campagne institutionnelle mettant en scène la montre LVI, photographie de Jean Larivière, 1988.

boutiques, se souvient Jean-Louis Roblin, directeur joaillerie et accessoires de l'époque. L'horlogerie était un moyen de créer un univers plus viril. La genèse de la Tambour était la suivante : lancer une montre pour homme, très Louis Vuitton. Dans son design, on voulait aussi retrouver cette dimension solide, robuste qui renvoyait à notre métier initial, la fabrication de malles. »

Pour dessiner le modèle, l'inventeur de la toile Monogram fait travailler une agence parisienne. Le croquis nº 20 de celle qui ne s'appelle pas encore la Tambour est retenu. « Nous voulions une pièce ronde qui puisse casser les codes du marché horloger, se souvient Sophie Gachet, alors responsable marketing. Il fallait aussi que l'objet soit luxueux, innovant, intemporel et pérenne. Il était hors de question de lancer une énième montre de mode. À l'instar des autres secteurs, où nous nous étions diversifiés, nous voulions nous positionner comme un véritable acteur à long terme. »

Si le développement de ce garde-temps s'avère relativement rapide – il prendra un peu moins de deux ans –, il en fait voir de toutes les couleurs aux fournisseurs suisses. Obnubilés par la qualité du moindre composant, les équipes parisiennes mettent la barre si haut que certains fabricants jettent l'éponge, avançant que « même Patek Philippe n'a pas des critères aussi élevés ! » Sans compter que le design atypique de la Tambour laisse perplexes certains horlogers suisses… tandis qu'à Paris, on songe à l'appeler « Pandore ». N'augurant rien de bon, ce nom est vite abandonné. « Tambour » est alors mis sur la table des discussions. Qui l'y a invité ? Mystère. Si le mot est percutant, déroutant, il ne manque pas d'à-propos. Les montres de poche de forme « tambour » faisaient en effet partie des premiers modèles miniatures apparus au XVIe siècle, leur profil rappelant celui de l'instrument de musique. En outre, le terme *tambour* désigne un composant on ne peut plus horloger. Il s'agit de la minuscule boîte cylindrique qui sert de logement au ressort du barillet, organe clé de la montre mécanique.

In fine, la Tambour de Louis Vuitton ressemble aux *taiko*, les tambours traditionnels japonais. Cela tombe à pic : le lancement mondial de cette montre est prévu dans l'archipel nippon. En juillet 2002, la collection, composée de cinq modèles – trois montres trois aiguilles à quartz ; deux pièces automatiques, à indication

Montre de forme « Tambour », boîtier cylindrique gravé comportant deux couvercles bordés de moulures, Schaufel, Veyt, Allemagne, XVIe siècle ; vue de face ouverte (à gauche), vue de profil fermée (à droite).

GMT, et un chronographe –, est dévoilée à Tokyo où la marque ouvre son nouveau *flagship* dans le quartier branché d'Omotesando. Le jour J, les Japonais font la queue dès l'aube. La foule serpente le long du pâté de maisons, impatiente de découvrir quelles fées se sont penchées sur ce garde-temps conçu par celui qui révolutionna au XIXe siècle l'univers des bagages. Les sujets de l'Empire du Soleil levant sont curieux de nature. D'ailleurs, la plupart des visiteurs cachent dans leurs poches une loupe pour examiner de près cet ovni horloger. Un boîtier en forme de *taiko*, un cadran brun et des aiguilles jaunes… on n'avait jamais vu cela sur une montre de luxe ! Les expressions d'étonnement cèdent la place au succès. Immédiat. La Tambour s'écoule comme des petits pains. Louis Vuitton ne s'y attendait pas. « On avait été très prudents sur les quantités, poursuit Sophie Gachet. L'horlogerie, c'était une *terra incognita*, mais on aurait pu multiplier par trois la production prévue. Rien qu'à Paris, il y avait plusieurs milliers de personnes sur liste d'attente. »

Cette entrée tambour battant dans le monde de l'horlogerie de luxe renforce les convictions de la marque. Elle a sa place dans ce paysage de roues et de ponts, où l'infiniment petit est inversement proportionnel aux passions que cet univers génère. Quelques mois après le Japon, la maison présente un chronographe plus « horloger », de nature à faire flancher les amateurs de belles mécaniques. Dotée du calibre LV277, cette Tambour a été créée sur la base du célèbre El Primero de Zenith, propriété de LVMH. Premier chronographe automatique au monde, lancé en janvier 1969, ce calibre est si précis qu'il peut mesurer les temps au dixième de seconde grâce à un cœur qui bat à trente-six mille alternances par heure. En d'autres termes, les deux cent soixante-dix-sept composants de ce mouvement relient directement la jeune Tambour à l'un des calibres les plus mythiques du XXe siècle. Malin, mais insuffisant au regard des ambitions nourries par le numéro un mondial du luxe.

Deux ans seulement après son entrée dans l'horlogerie, Louis Vuitton s'attaque à l'un de ses graals, le tourbillon. Inventé en 1801 par Abraham-Louis Breguet, ce dispositif mécanique qui vise à compenser les effets de la gravité sur la marche des montres de poche est devenu le symbole de la haute horlogerie du XXIe siècle. « C'était complètement fou de proposer si rapidement une pièce à tourbillon, confiait en 2005 Yves Carcelle, alors P.-D.G. de Louis Vuitton. Mais nous voulions conquérir notre légitimité dans cet univers en frappant les esprits. » Présentée en 2004, cette Tambour Tourbillon Monogram dont le mécanisme a été conçu par La Joux-Perret a la particularité d'être personnalisable à l'envi. Onze de ses composants peuvent être ciselés au chiffre de son propriétaire, les ponts figurent des initiales serties de diamants, les roues et la cage du tourbillon sont en forme de fleur de Monogram… L'expérience des commandes spéciales, acquise dans son activité première, sert le propos de « Louis Vuitton Horloger », qui peut ainsi présenter à ses clients une montre quasiment unique. Elle permet aussi d'insuffler au mouvement ce qui a fait la renommée du luxe français : une sophistication extrême qui semble naturelle, une écriture enlevée permettant de contrebalancer ici un volume conséquent, une faculté à susciter le désir. En faisant ce « choix de la crédibilité créative », la griffe parvient à rendre sexy l'un des mécanismes les plus complexes de cette industrie. Rançon du succès de ce tourbillon esthétique et cristallin, la marque expérimente l'épineuse question des délais de fabrication de la haute horlogerie. Les pièces sont livrées avec trois mois de retard. « Cela nous a conduits à embaucher des artisans et des concepteurs pour développer de nouveaux calibres », indique Jean-Louis Roblin.

En cette même année 2004, Louis Vuitton investit le domaine du sport en lançant le chronographe Tambour Regatta. L'y incitent ses attaches dans la voile – la griffe a organisé pendant des années la Louis Vuitton Cup qui précédait l'America's Cup, dont elle a été partenaire jusqu'en 2013. Le cadran sans lunette de la Tambour se prête facilement à l'adjonction de la fonction compte à rebours que les marins activent dix minutes avant le départ de la régate. En 2005, cette incursion, qui deviendra récurrente dans le monde nautique, est complétée par la Tambour Diving. La montre de plongée version Louis Vuitton affiche un look assez urbain, presque streetwear, immédiatement reconnaissable.

Des montres de ville, de haute horlogerie, de sport, pour femmes – depuis 2002, la Tambour est proposée dans un plus petit diamètre de 28 millimètres, avec des cadrans sertis de diamants dès l'année suivante... Si le créateur du sac Keepall étoffe rapidement son offre en matière de garde-temps, un calibre va véritablement l'introniser dans le monde des acteurs qui comptent, le LV119 en 2009. Derrière ce nom de code se cache la Tambour Spin Time, une heure sautante d'un genre nouveau qui abrite le premier mouvement breveté de Louis Vuitton. Elle a été conçue et réalisée par Michel Navas et Enrico Barbasini, deux inventeurs de grand talent, connus pour l'excellence et l'originalité des complications horlogères qu'ils développent dans leur manufacture indépendante, La Fabrique du Temps. À la place d'une aiguille centrale, la Spin Time met en scène des cubes tournant sur eux-mêmes, de façon instantanée et autonome, sur lesquels se lit l'heure. « Quand on a terminé ce mouvement, on s'est dit : celui-là, c'est pour Louis Vuitton ! expliquent les deux horlogers. L'idée nous est venue en regardant les panneaux d'affichage dans les aéroports avec leurs palettes noires qui s'affichent pour annoncer les vols. En plus, les petits carrés de la Spin Time rappellent ceux de la toile Damier. On est allés la leur proposer. » Le malletier français succombe à ces rouages et fait déposer ce mouvement à la fois innovant, ludique et en phase avec l'ADN de la marque.

« Le concept de la Tambour était clair, on avait la Tourbillon et la Spin Time, mais il fallait une vraie réflexion sur la haute horlogerie Louis Vuitton, et surtout de quoi la nourrir », se rappelle José Fernandes, directeur de la manufacture depuis 2010. Pourquoi ne pas racheter La Fabrique du Temps et ses deux associés dont les faits d'armes antérieurs chez Patek Philippe, Gérald Genta, Audemars Piguet et Franck Muller témoignaient de leur expertise et de leur légitimité dans ce métier ? « En 2010, le directeur de l'horlogerie de Louis Vuitton et le directeur opérationnel basé en Suisse nous ont embarqués dans cette aventure, se souviennent Michel Navas et Enrico Barbasini. C'était des vraies personnes. Ils nous ont plu. Ils connaissaient les montres. Nous avons accepté car c'était un projet d'envergure que de construire la haute horlogerie de Louis Vuitton tout en conservant la créativité et l'audace de cette marque. » Une poignée de main scelle l'affaire. En 2011, Louis Vuitton acquiert officiellement La Fabrique du Temps où opèrent ces « deux petits génies » ainsi que sont surnommés aujourd'hui « Michel et Enrico » par les autres employés. Leurs exigences se résument à « travailler à Genève pour obtenir un jour le Poinçon de Genève » et « avoir carte blanche dans la haute horlogerie ».

Afin de faire connaître ses ambitions dans ce secteur, la marque décide d'exposer en 2011 ses créations à la grand-messe internationale de l'horlogerie, Baselworld. Sur le Rhin, en contrebas des Trois Rois, palace de la ville de Bâle, le malletier arrime une péniche à ses couleurs où les journalistes du monde entier découvrent avec stupéfaction que l'inventeur de la malle plate ne se contente pas de fabriquer des montres de luxe : il persiste et signe avec des modèles de haute horlogerie qui se révèlent très innovants. Michel Navas et Enrico Barbasini se sont déjà mis à l'ouvrage sur ce qui deviendra l'une de leurs pièces maîtresses, une répétition minutes de voyage. Inventée au XVIIe siècle, à une époque où l'électricité n'existait pas, ce type de mécanisme peut sonner l'heure à la demande, notamment la nuit. Mais pour la première fois dans l'histoire de cette complication horlogère, la montre de Louis Vuitton ne sonne pas l'heure du pays où le voyageur vient de

En haut et au centre Croquis du modèle nº 20, avant-projet de montre pour Louis Vuitton dessiné par l'agence BBDC, qui donnera naissance au modèle Tambour, 2000 ; *en bas* Projets de cadrans de montres pour Louis Vuitton dessinés par l'agence BBDC, 2000.

Tambour, mouvement à quartz, boîtier en acier (à gauche) et Tambour Chronographe, mouvement automatique, boîtier en acier (à droite), premiers modèles lancés en 2002.

poser ses valises, mais celui qu'il a quitté – le *home time*. « L'heure de la maison est un composant émotionnel fort, inhérent à chaque voyage et à chaque voyageur, explique Michel Navas. Nous nous sommes demandé pourquoi une répétition minutes n'offrirait pas au globe-trotter la possibilité de lui rappeler sa maison, telle une douce ritournelle dont la vertu serait, pourquoi pas aussi, d'atténuer le mal du pays … » Non content d'avoir développé une fonction si retorse que bon nombre de marques ne la maîtriseront jamais, même après un siècle d'existence, le malletier la transporte dans le XXIᵉ siècle en l'adaptant aux voyageurs contemporains. Entendre l'heure de chez soi quand on est ailleurs, l'idée séduit. Son application sur une montre enthousiasme la foire de Bâle en 2011. En outre, son cadran est extrêmement lisible, elle possède une réserve de marche de cent heures, inhabituelle sur ce type de pièce, et peut même brièvement tomber dans l'eau puisqu'elle est étanche à trente mètres – point d'ordinaire inimaginable sur un sujet de nature aussi sensible … « Quand on a vu cette répétition minutes, on a pensé que Louis Vuitton se donnait les moyens de jouer dans la cour des grands, affirme un fin connaisseur. Et qu'il allait falloir compter avec eux. »

Trois ans plus tard, la marque franchit un nouveau cap en ouvrant sa manufacture de 4 500 mètres carrés à Meyrin, dans la « banlieue horlogère » de la cité de Calvin. Toujours en 2014, l'entreprise rachète le cadranier genevois Léman Cadrans, connu pour l'excellence de son savoir-faire dans les pièces sophistiquées. L'installation à Meyrin est une étape importante qui va permettre à Louis Vuitton de décrocher en 2016 son premier Poinçon de Genève sur la Voyager Tourbillon Volant. Certification suprême, ce label garantit depuis 1886 le degré de facture et de conformité aux standards de la haute horlogerie le plus élevé. Et les marques qui l'obtiennent pour leurs garde-temps ne sont pas légion. « C'est une étape majeure dans l'horlogerie de Louis Vuitton, observe David Ponzo, directeur général adjoint. Il nous a permis de rentrer dans le cercle fermé des manufactures détentrices de cette prestigieuse certification et de garantir à nos clients l'excellence de l'exécution de nos modèles. Nous y sommes très attachés car le Poinçon de Genève témoigne de la maturité horlogère de notre entreprise. »

À la même période, nos deux « petits génies » planchent, dans le plus grand secret, sur des commandes spéciales de montres à jacquemarts que se disputent des collectionneurs avisés. Ces développements singuliers vont permettre à Louis Vuitton de marquer les esprits en 2021 en présentant la Tambour Carpe Diem. Ce modèle à jacquemarts met en scène une vanité spectaculaire qui s'anime à la demande sur le cadran. « Nous n'en serions jamais arrivés là sans cette volonté de proposer, dès le départ, des collections horlogères pointues – c'est-à-dire sans concession au niveau de la réalisation – et qui correspondent aux attentes de leur époque, déclare Michel Navas. En vingt ans, Louis Vuitton est parvenu à sortir des montres exceptionnelles, mais il s'en est peu vanté ! »

Quelques mois plus tard, cette pièce atypique sera présentée aux côtés de la montre de plongée Tambour Street Diver à la XXᵉ cérémonie du Grand Prix de l'Horlogerie de Genève (GPHG). Le 4 novembre 2021, dans l'auditorium jouant à guichets fermés du Théâtre du Léman, plus d'un millier de représentants de l'horlogerie mondiale sont réunis pour décerner et recevoir les récompenses de ces « Oscars du temps ». Louis Vuitton n'y a jamais été distingué. Le matin de la cérémonie, l'excitation est presque palpable dans les couloirs de La Fabrique du Temps. À la cafétéria, les paris sont ouverts. Chacun avance son pronostic, croisant les doigts pour que les créations maison soient récompensées. « Il serait temps qu'on ait quelque chose ! » lance un ingénieur. « Louis Vuitton n'a que vingt ans dans l'horlogerie. Pour l'industrie, c'est jeune ! » déclare une employée qui se voit rétorquer que « la valeur n'attend pas le nombre des années ».

Le grand soir, quatre-vingt-quatre modèles sont en compétition. La Tambour Street Diver décroche le prix de la montre de plongée. Son design aussi singulier que mémorable séduit le jury. Pour Michel Navas et Enrico Barbasini, le suspens continue jusqu'à ce que la Tambour Carpe Diem soit couronnée du prix de l'audace, décerné pour la première fois au GPHG. « C'est la meilleure récompense que Louis Vuitton pouvait avoir ! » commentent les deux horlogers. La joie se lit sur les visages. La fierté aussi. Jean Arnault, directeur marketing et développement de l'horlogerie Louis Vuitton, monte sur la scène et déclare, recevant les deux récompenses : « Ces trophées, nous allons les chérir, les garder longtemps dans l'entrée de notre manufacture de Meyrin ! 2021 marque la célébration des vingt ans du Grand Prix de l'Horlogerie de Genève. En 2022, cela sera les vingt ans des montres Louis Vuitton. Nous avons hâte de voir comment vont évoluer les vingt prochaines années et l'histoire commune que nous allons pouvoir écrire ensemble. » La Fabrique du Temps n'a jamais si bien porté son nom. Rendez-vous dans vingt ans.

En haut Tambour Chronographe LV Cup, mouvement automatique LV277, boîtier en acier, vue de dos, 2003 ; *en bas, à gauche* Tambour Chronographe LV277, mouvement automatique LV277, boîtier en acier, 2003 ; *en bas, à droite* Tambour Chronographe Forever LV277, mouvement automatique LV277, boîtier en or blanc pavé de diamants, 2004.

Tambour Tourbillon Monogram, mouvement à tourbillon LV103, boîtier en or rose, 2004 ; vue de face (ci-dessus), vue de dos (page de droite).

SEVENTEEN
SWISS MADE
LV51
CALIBRE LV103
TOURBILLON

Ci-dessus Campagne Tambour Chronographe LV Cup Regatta, mouvement automatique, boîtier en acier, photographie de Mitchell Feinberg, 2006 ; *page de gauche* Louis Vuitton Pacific Series, Auckland, Nouvelle-Zélande, 2009.

LOUIS VUITTON
Q1031 RN 0214 750 18K GOLD
SWISS MADE
300 M

Ci-dessus Tambour Diving, montre de plongée, mouvement automatique, boîtier en acier, 2005 ; *page de gauche* Tambour Diving, montre de plongée, mouvement automatique, boîtier en or rose, 2007.

De gauche à droite José Fernandes, directeur de La Fabrique du Temps, Michel Navas et Enrico Barbasini, maîtres horlogers à La Fabrique du Temps, 2021.

Tambour Spin Time Air, mouvement automatique LV88, boîtier en or blanc, photographie de Philippe Fragnière pour *Numéro Homme*, 2019.

45

Tambour Spin Time Air, vue éclatée du mouvement automatique LV88, 2019.

Tambour Répétition Minutes, mouvement mécanique LV178, boîtier en or blanc, 2012.

47 Péniche Louis Vuitton, Salon mondial de l'horlogerie, Bâle, Suisse, 2011.

Mouvement à tourbillon volant LV97, Poinçon de Genève, 2019.

Le Bureau du «POINÇON DE GENÈVE» a été institué par la loi du 6 novembre 1886 (modifiée par la loi du 18 décembre 2008).

Il est chargé :

1. d'apposer sur les montres présentées par des fabricants établis à Genève le poinçon de l'Etat ;
2. de l'établissement ou de la légalisation de certificats d'origine.

En application de la loi, le règlement stipule :

Seront poinçonnées les montres qui, après examen, seront reconnues posséder toutes les qualités de bienfacture correspondant aux normes exigées par le règlement, et dont l'assemblage, le réglage, l'emboîtage et le contrôle aura été exécuté sur le territoire genevois.

A018

Reproduction agrandie du poinçon de l'État frappé sur les montres de Genève

Enlarged reproduction of the State hallmark placed on watches from Geneva.

Directeur   Contrôleur

The "POINÇON DE GENÈVE" Office was legally inaugurated on November 6th, 1886 (modified by law on December 18th, 2008).

It is responsible for :

1. granting the mark of approval of the State to watches presented by watchmakers established in Geneva ;
2. establishing or authentically certifying the origin.

In application of the law, the regulations stipulate that :

The State's mark of approval shall be granted to watches which, after due examination, are recognised as possessing all the qualities of excellence needed to comply with the standards required by the regulations and of which the assembly, setting, casing and testing are performed within the territory of Geneva.

Certificat d'origine et de conformité de la montre, bureau du Poinçon de Genève.

51

Campagne publicitaire Tambour Curve Tourbillon Volant « Poinçon de Genève », mouvement mécanique LV108, boîtier en titane et CarboStratum, photographie de Laziz Hamani, 2021.

Tambour Carpe Diem, montre à jacquemarts, mouvement mécanique LV525, boîtier en or rose, prix de l'audace au Grand Prix d'Horlogerie de Genève, 2021.

En haut Pose des aiguilles de la Tambour Street Diver, prix de la montre de plongée au Grand Prix de l'Horlogerie de Genève, 2021 ; *en bas* Campagne publicitaire Tambour Street Diver, mouvement automatique, boîtier en acier, photographie de Dan Tobin Smith, 2022.

Une esthétique sans compromis

II.

LOUIS VUITTON
Au 750

OUIS VUITTON CU

AV^{e} MARCEAU 78bis . PARIS
NICE . 2 AV^{e} DE SUEDE

LOUIS

20
30
40
50
LOUIS VUITTON

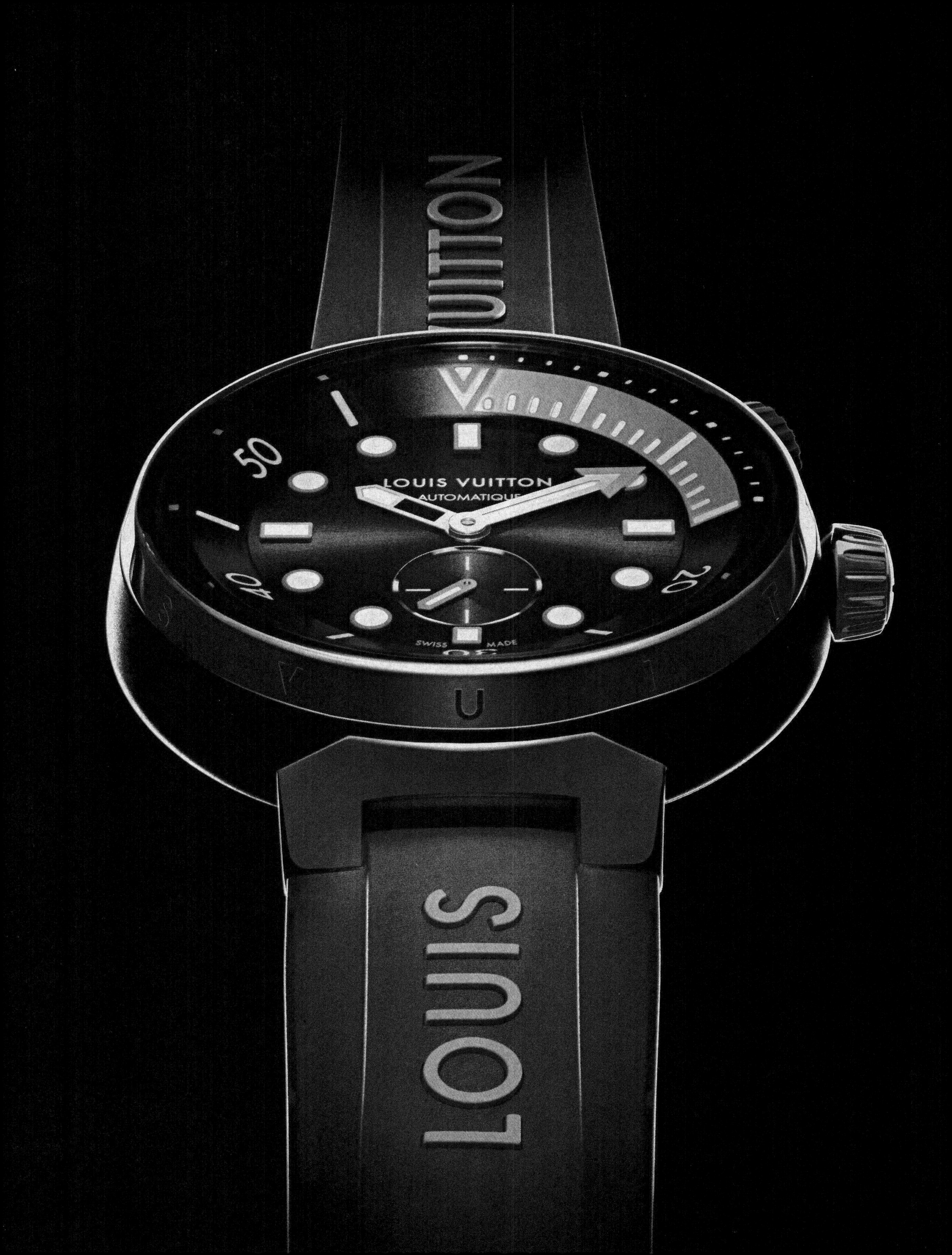

LOUIS VUITTON
AUTOMATIQUE
SWISS MADE
LOUIS
VUITTON

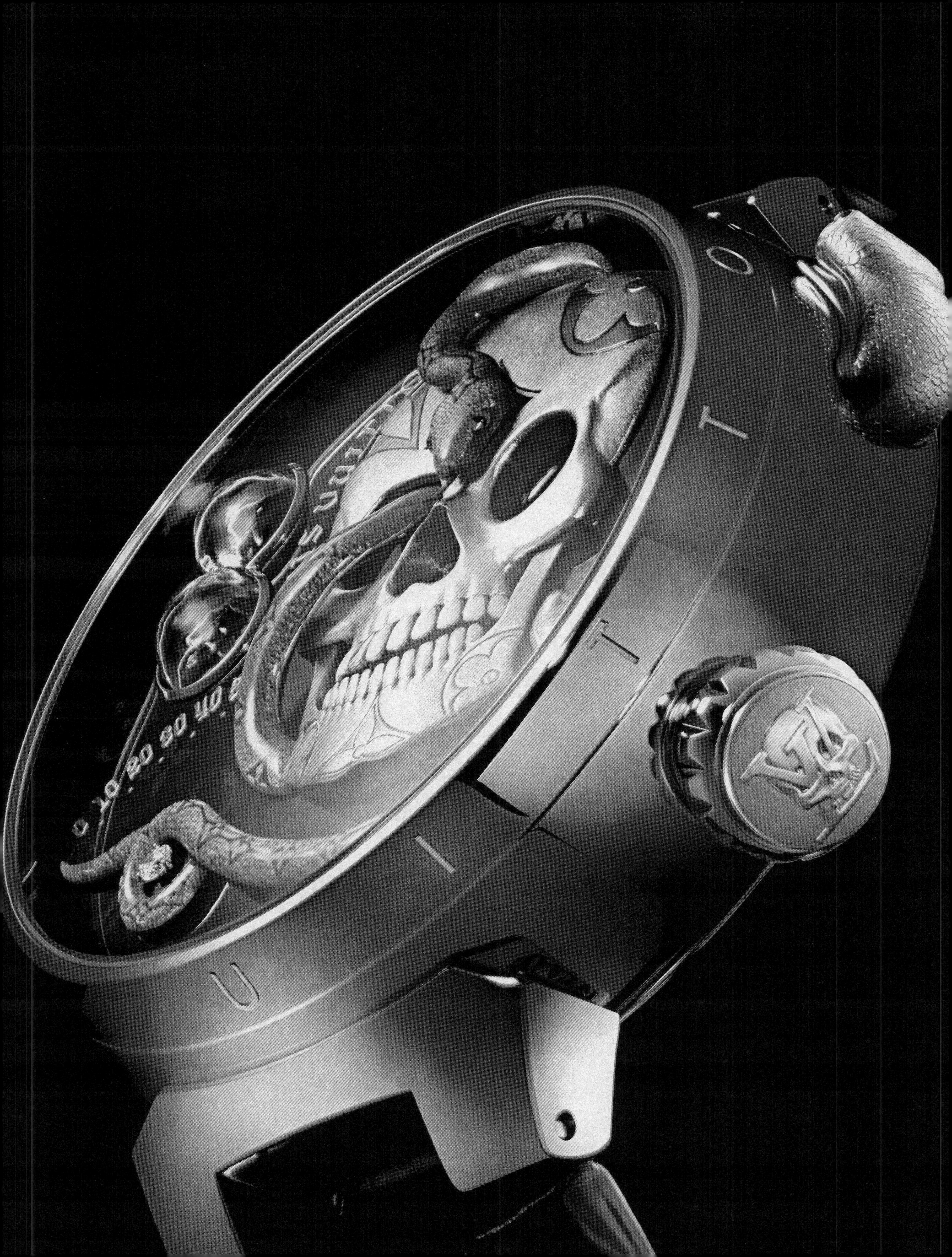
0 10 20 30 40
U I T T O

Une esthétique sans compromis

II.

« Si la Tambour avait été dessinée aujourd'hui, affirment Ludovic Blanquer et Michel Berra, les deux designers qui l'ont conçue, elle ne serait jamais sortie. » Trop volumineuse. Trop épaisse. Trop *segmentante*. Autant de « trop » qui ont forgé en creux l'identité d'une montre dont la ligne, plus de vingt ans après avoir été ébauchée sur une feuille de papier A4, demeure toujours aussi marquante. En 1998, lorsque l'agence parisienne BBDC se voit confier la conception du nouvel opus horloger de Louis Vuitton, elle reçoit un brief marketing « aussi épais que le premier tome d'une encyclopédie », mais pour le moins inhabituel. Le dossier retrace l'histoire du malletier, passe en revue les codes de la marque, met en lumière ses collections phares, mais ne contient aucune référence horlogère ni la moindre recommandation sur la forme que doit prendre le futur garde-temps de la maison. « Pour la première fois de notre carrière, nous n'avions pas d'indication précise sur le style de la pièce que nous devions imaginer, se rappellent Ludovic Blanquer et Michel Berra. D'ordinaire, les clients nous demandaient une montre "Frankenstein" avec un boîtier ressemblant à celui de la Nautilus de Patek Philippe, un cadran tapisserie comme la Royal Oak d'Audemars Piguet et un bracelet façon Président de Rolex… Mais dans ce projet, notre liberté créative était totale. Il ne semblait pas y avoir d'enjeux financiers particuliers ni de business modèle à respecter. On avait l'impression d'être des pionniers sur une *terra incognita* horlogère qu'il nous fallait conquérir. Le seul impératif était de concevoir un design identifiable et assez masculin pour attirer les hommes dans les magasins de la marque. »

L'absence de contraintes accroît la difficulté. Comment projeter et faire ressortir l'ADN de celui qui inventa la malle plate en 1854 dans l'espace restreint d'un boîtier de montre ? Au-delà de la complexité du rapport d'échelle entre un bagage de format généreux et la taille d'un garde-temps, les designers savent que pour son client « un produit trop mainstream serait inacceptable ». L'agence présente plusieurs avant-projets de montres dont trois sortent du lot. Le premier, le modèle nº 23, affiche une boîte ronde avec des cornes intégrées. Son originalité tient dans le rehaut du boîtier qui remplace la lunette de la montre. Mais de profil, il ressemble à un téléobjectif d'appareil photo de paparazzi. Le modèle nº 7 possède quant à lui une boîte tonneau qui est, là encore, intégrée au bracelet. Il donne à la pièce un aspect assez vintage, peut-être aussi un air de déjà-vu repérable dans les montres produites à la fin des années 1970 et au début des années 1980. *In fine*, le modèle nº 20 est frappant avec son imposant boîtier sans lunette et dont la forme, à l'allure convexe, semble avoir été taillée dans un bloc de métal. L'objet a de la matière. Il est dense et peut accueillir sur son pourtour le patronyme du malletier qui, coïncidence, compte douze lettres comme les douze chiffres du cadran des heures… Inédit à l'époque, le fond brun, qui sera à l'origine d'une nouvelle tendance dans l'horlogerie de luxe, renvoie à la couleur des bagages de l'activité originelle de Louis Vuitton. Tandis que les aiguilles jaunes de la montre font écho au coloris du fil utilisé pour la piqûre de ses pièces de maroquinerie. « Le numéro 20 était celui que l'on préférait, c'était notre recommandation, se souvient l'un des designers. Il traduisait le mieux l'aspect imposant et robuste des malles que l'on voulait retranscrire sur le boîtier. » Louis Vuitton fait le même choix. En outre, la lisibilité de sa ligne confère au modèle la faculté de pouvoir épouser n'importe quel genre – féminin, sportif, à complication, etc.

La Tambour est née ! Cette montre possède des éléments de style qui font qu'elle ne ressemble à aucune autre. Boîtier très épais dont la base est plus large que la partie supérieure, absence de lunette, cornes caractéristiques car rapportées sur la boîte, profil galbé et pyramidal, nom de la maison gravé sur la tranche de la montre, codes couleur brun et jaune jamais employés jusqu'alors dans ce secteur, dos décoré des motifs de la toile Monogram, qui n'auront de cesse de fleurir sur la Tambour, au gré des collections. Louis Vuitton aurait d'ailleurs eu tort de s'en priver, tant le design de cette toile créée en 1896 a traversé les décennies sans prendre une ride. « Il n'y a aucun autre exemple de produit inventé au XIXe siècle qui soit toujours aussi actuel au XXIe, observait au milieu des années 2000 Yves Carcelle. Ce n'est pas un logo, c'est une signature, un symbole universel et intemporel qui a donné naissance à la notion du luxe moderne. »

Dans un secteur très concurrentiel où la taille – modeste – des produits conditionne leur design et limite concrètement les possibilités de création, ce coup d'essai de la Tambour se transforme en coup de maître. « Dessiner des montres est un métier souvent ingrat car il est extrêmement difficile de concevoir des boîtiers nouveaux et innovants contrairement aux mouvements horlogers qui peuvent se révéler plus gratifiants. La Tambour est le fruit du travail de nos équipes et du hasard. C'est cela qui est merveilleux. Si je devais la décrire en quelques mots, je dirais que cette montre possède une légèreté dans ses courbes qui lui donne toute sa force », observe Michael Burke.

De gauche à droite Croquis des modèles n° 7 et n° 23, avant-projets de montre pour Louis Vuitton non retenus, dessinés par l'agence BBDC, 2000 ; croquis du modèle n° 20, avant-projet de montre pour Louis Vuitton dessiné par l'agence BBDC qui donnera naissance au modèle Tambour, 2000.

Avec ce garde-temps, l'entreprise introduit une nouvelle signature horlogère, très reconnaissable, le volume Vuitton. À mille lieues des standards en vigueur à l'époque, l'identité particulière de cette pièce va détonner. « La première fois que j'ai vu une Tambour, je me suis dit : "Que cette montre est volumineuse !" déclare Matthieu Hegi, designer de la maison depuis 2012. Puis, j'ai réalisé qu'elle possédait les qualités de ses défauts, à savoir une véritable présence, un look identifiable immédiatement. En outre, son cadran, un peu refermé sur le dessus, lui donne du caractère. Qu'on l'aime ou qu'on la déteste, elle ne laisse personne indifférent. »

Si le parti pris esthétique revendiqué s'avère très contemporain, nul n'oublie qu'il renvoie à la forme des modèles de poche de voyage apparues au XVIe siècle en Europe. Comme si Louis Vuitton avait voulu inventer la première montre *flash-forward* : un objet à remonter le temps annonçant le futur, à savoir une haute horlogerie qui braverait les interdits, dans laquelle les paramètres traditionnels auraient été assimilés dans le seul but d'être mieux détournés. « Dès le départ, deux mondes coexistent, celui des montres helvétiques et celui de Louis Vuitton, poursuit Mathieu Hegi. Dans le premier univers, il y a pas mal de contraintes ; dans le second, la liberté est de mise. Les codes de la maison, sa richesse historique, son souffle créatif forment un alphabet qui compose un nouveau langage devant parler à la fois aux clients de la maison et aux amateurs de belles mécaniques. »

Après l'archipel nippon, la Tambour est lancée en Europe où son design est qualifié de « culotté ». Généreux et robuste, pas plus qu'au Japon il n'a d'équivalent. Son volume important pose d'emblée son caractère horloger offrant une vitrine considérable pour exposer de futurs rouages compliqués. Comme en Asie, la Tambour fait l'objet d'un vif engouement. Il faut dire que la marque peaufine son image en la mettant en scène dans des environnements qui lui sont chers. Le malletier flatte à la fois l'aspect nomade, chic et luxueux de son garde-temps, tout en soulignant sa personnalité anticonformiste, laquelle la préserve de la communication horlogère classique des marques traditionnelles.

Dès les premières campagnes de publicité, au début des années 2000, Louis Vuitton fait appel à de célèbres photographes de natures mortes pour exalter les facettes de la modernité de ce modèle atypique. En 2004, l'Italien Guido Mocafico révèle, dans toute sa matérialité, le corps de la Tambour pris en gros plan sur fond blanc, de face et de dos. Ce zoom sur un boîtier de montre hypertrophié donne à voir le perfectionnisme avec lequel a été traité le moindre des composants. Profondeur et chatoiement du cadran brun, finesse des appliques, équilibre des aiguilles, puissance de la toile Monogram gravée à l'arrière... Le message sur la qualité et les savoir-faire qui se dégagent de la Tambour est clair. Deux ans après, l'Américain Mitchell Feinberg photographie les montres sur des fonds de couleur sourde (marron, bleu nuit) simulant par un seul riche jeu de lumière un horizon imaginaire qui semble annoncer une nouvelle ère. En 2009, la Tambour est de nouveau placée dans l'univers favori de Louis Vuitton. Elle apparaît au poignet d'un reporter sur un quai de gare, pour un « voyage dans l'instant » signé du photographe Bruno Aveillan. Auparavant, elle s'était invitée dans un désert d'Afrique australe en 2003, sous l'objectif de Jean Larivière. Ces mêmes thèmes seront développés en 2017 lors du lancement de la Tambour Horizon. Le modèle connecté de la griffe surgit dans des paysages spectaculaires que contemplent des voyageurs du XXIe siècle.

Louis Vuitton fait aussi appel à des personnalités mondialement connues pour promouvoir sa montre. Tel un Sean Connery nonchalant et charmeur, sur un ponton des îles Bahamas, sous l'œil d'Annie Leibovitz en 2008. « Notre objectif est d'élargir la notion de voyage au-delà de sa dimension géographique, de le présenter en tant que découverte personnelle », expliquait Pietro Beccari, alors vice-président marketing et communication de Louis Vuitton. Le slogan qui accompagne l'image – « Certains voyages se transforment en légendes » – sous-entend de façon plus implicite qu'il est des montres qui deviennent légendaires. « Nous commencions à avoir conscience que quelque chose de très fort se profilait avec la Tambour, que son design pouvait la transformer en une icône horlogère », confirme Jean-Louis Roblin. En apparaissant au poignet de célébrités, la Tambour s'en approprie des fragments d'éclat, mais devient surtout le symbole d'un mode de vie glamour et désirable, thème alors très peu exploité dans les campagnes publicitaires des montres de luxe. Dans cet état d'esprit, Louis Vuitton met en scène David Bowie en 2013, photographié par David Sims, dans un palazzo vénitien. Le chanteur porte la Tambour eVolution, une version tout en acier dont le design robuste contraste avec la silhouette de dandy du Britannique. Près d'une décennie plus tard, le message véhiculé par la campagne shootée en 2021 par Mario Sorrenti est similaire. Les acteurs Tahar Rahim, Sophie Turner et Lee Min-ho surfent avec la Tambour Street Diver dans un océan urbain où deux univers *a priori* antithétiques, la plongée sous-marine et le streetwear chic, sont réunis au sein des photographies. Les antagonismes d'hier tel « le sport *versus* la ville » disparaissent au profit d'une identité générant des valeurs « inclusives », chères au XXIe siècle.

Ce travail sur l'image de la Tambour n'occulte pas pour autant une question cruciale. Dix ans après sa création, comment faire évoluer le design d'un modèle devenu iconique ? Métonymie de l'horlogerie Louis Vuitton, la Tambour est confrontée à la problématique inhérente aux monoproduits, avec ses avantages et ses inconvénients. « Cela apporte une cohérence dans les collections, une reconnaissance et une identification beaucoup plus forte, on associe la montre à la marque, constate Hamdi Chatti, directeur horlogerie et joaillerie entre 2009 et 2018. Mais la maison se coupe aussi de ceux qui n'aiment pas le modèle et peut lasser ceux qui le possèdent déjà. »

Louis Vuitton choisit d'adopter la stratégie du changement dans la continuité. Il conçoit en 2013, la Slim sur laquelle le boîtier de la Tambour est inversé. Par un effet d'optique, non seulement la montre semble moins épaisse, mais son ouverture plus large autorise la mise en place d'une lunette pouvant être sertie de diamants. La densité originelle du modèle paraît ainsi adoucie. La Slim donne d'abord naissance à une ligne exclusivement féminine avant de devenir la montre favorite des collections de Kim Jones (directeur artistique homme de Louis Vuitton, 2011-2018) puis de Virgil Abloh (directeur artistique homme de Louis Vuitton, 2018-2021), qui l'habillent à leurs couleurs lors des défilés de prêt-à-porter.

En 2017, les designers de Louis Vuitton planchent sur un autre exercice de style. Pour ses quinze ans, la Tambour se voit offrir un nouveau profil avec la Moon, dont la forme n'est plus convexe mais concave. Il en résulte un galbe inversé qui apporte une touche de sophistication d'autant plus importante que cette boîte flambant neuve doit accueillir le premier garde-temps connecté de Louis Vuitton, la Tambour Horizon. « Le critère primordial était qu'elle ressemble à une vraie montre, à notre Tambour horlogère, confie Michael Burke. Nous voulions que cela soit un objet de création à part entière, inscrit dans l'ADN de Louis Vuitton, personnalisable et pouvant procurer une expérience *lifestyle*. Nous avons développé des fonctionnalités qui nous correspondent, sur le voyage, par exemple. » En évitant l'écueil de l'esthétique geek, fatal à bon nombre de montres connectées lancées par des horlogers, le malletier parvient à transposer les codes du luxe dans un secteur qui ne les a jamais véritablement possédés. Résultat, la Tambour Horizon est un succès. Avec la Tambour Horizon Light Up, dernière version présentée en 2022, Louis Vuitton réussit à rendre extrêmement personnalisable une montre connectée qui, par nature, est conçue pour plaire au plus grand nombre. En outre, le choix de la filiation du design de la Tambour Horizon à la montre mère

permet à la griffe d'avoir une cohérence dans sa proposition horlogère et d'être présent sur les deux marchés, digital et traditionnel, en les présentant comme complémentaires et non en les opposant comme ce fut le cas lors des débats virulents qui agitèrent le secteur à la fin des années 2010.

Troisième évolution notable dans l'esthétique de ce modèle, la création de la Tambour Curve Tourbillon Volant en 2020. « Nous voulions une Tambour plus sportive, plus masculine, avec des matériaux innovants et high-tech, confie le designer Matthieu Hegi. Cette pièce a été conçue aussi pour accueillir exclusivement nos mouvements de haute horlogerie. » Ses cornes étirées sur le bracelet et sa cambrure convexe lui confèrent une carrure avec du coffre. Un effet amplifié par l'emploi de titane et de CarboStratum, une matière de plus de cent couches

En haut Tambour Chronographe, mouvement automatique, boîtier en acier, 2002 ; *en bas* Poignée de malle Louis Vuitton en cuir de vache naturel.

de carbone conçue spécialement pour Louis Vuitton. En cadeau de naissance, la Curve reçoit aussi un calibre tourbillon estampillé du Poinçon de Genève.

Autre élément fondamental des montres Louis Vuitton, le cadran. Dès le lancement du premier modèle en 2002, ce disque d'or ou de laiton est considéré comme une page blanche sur laquelle la maison déploie les signes du temps en veillant à les mâtiner de sa marque de fabrique : un particularisme revendiqué, une forme d'insolence de création. Dans ce domaine, Louis Vuitton va installer un style unique, fort et typé. Il faut dire que le rachat du cadranier suisse Léman Cadrans en 2012 y contribue largement.

Dès 2004, les fleurs de la fameuse toile Monogram s'épanouissent sur les Tambour féminines, prêtant le flanc à de précieuses marqueteries de nacre, de pierres de couleur et de diamants. En 2006, la Tambour Bijou apparaît sans la couronne, remplacée par un poussoir en forme de fleur de Monogram arrondie. La même année, un V vole au vent des cadrans du chronographe Regatta. Son design reprend le V tricolore frappé en 1901 sur le sac Steamer de Gaston-Louis Vuitton, qui deviendra l'une des signatures de la maison.

Les carrés de la toile Damier conçue en 1889 sont également une source d'inspiration horlogère. La Tambour s'en empare sur les versions In Black de 2006, où les index sont quadrillés en noir et blanc. Quant aux blasons de couleur peints au début du siècle dernier sur les malles de voyage historiques de la maison, ils offrent un nouveau visage chatoyant et racé à la montre Escale à heures universelles en 2014.

L'esprit ludique de Louis Vuitton trouve également matière à s'exprimer dans l'espace réduit du cadran de ses montres. La maison est à la fois là où on l'attend – le savoir-faire traditionnel de l'horloger – et où on ne l'attend pas – une créativité sans interdit, pluridisciplinaire. « Louis Vuitton a construit un mix marketing remarquable, analyse un consultant spécialisé dans le marché du luxe. Il capitalise sur son histoire, façonne des tendances, fabrique des articles de qualité, se renouvelle sans cesse. Et fait appel à des icônes pour les mettre en scène. » Les collaborations entre Louis Vuitton et des figures du monde de l'art contemporain en témoignent. Les Américains Stephen Sprouse et Richard Prince marquent leur empreinte sur de mémorables lignes de sacs, de bagages et d'accessoires en 2001 et en 2007. Du côté du Japon, le chef de file du courant néo-pop nippon, Takashi Murakami, ripoline de couleurs vives le fameux LV, notamment sur une Tambour éditée en série limitée à cinq cents exemplaires en 2003. Citons aussi l'artiste Yayoi Kusama dont la montre Tambour Slim aux pois blancs semés sur un cadran rouge en 2012 voit sa cote s'envoler dix ans plus tard…

Ces choix esthétiques aux vertus parfois disruptives sont porteurs également d'un glamour dont l'innocence malicieuse fait écho au monde de l'enfance. Exemplaires à ce titre, les trois Tambour Slim Vivienne lancées en 2022. La mascotte de la marque devient cartomancienne, croupière ou jongleuse distribuant, par la magie d'un mécanisme à heures sautantes, cartes, jetons et balles sur de précieux cadrans en aventurine ou en nacre sertis de diamants, rubis, tsavorites vert gazon…

Enfin, Louis Vuitton inclut dans sa palette créative le mouvement horloger. Le mécanisme de la montre est pensé comme un composant esthétique à part entière du modèle, vecteur d'une identité et d'une fonction qui renvoient aux valeurs fondatrices de l'entreprise. « Nous avons lancé beaucoup de complications liées à l'art du voyage, indiquant un second fuseau horaire, l'heure universelle, etc., affirme Hamdi Chatti. La création de la Spin Time en 2009 – où l'heure est affichée sur des cubes tournants qui évoquent la toile Damier – et la Répétition Minutes en

2011 figurent parmi les plus emblématiques. » Dès 2004, les rouages du tourbillon maison sont parés d'une fleur de Monogram qui composera notamment ensuite le double barillet de la Tambour Moon Mystérieuse.

Ce parti pris esthétique atteint son paroxysme en 2021 lorsque la marque dévoile la Tambour Carpe Diem. Conçue sur le thème des vanités, cette montre à jacquemarts se défait des habits traditionnels de la haute horlogerie en offrant une interprétation à la fois subversive, ironique et troublante de la Mort, mixant le raffinement des natures mortes flamandes du XVIIe siècle avec l'esprit des tatouages contemporains. Sculptés dans de l'or rose avec une précision inouïe par Dick Steenman, tête de mort, serpent et sablier sont dopés par la modernité atemporelle des emblèmes de Louis Vuitton. Telles ces fleurs de Monogram scarifiées sur le crâne, tatouées en bordeaux sur les écailles du crotale, en rouge sang dans l'orbite. La finesse, la transparence et les couleurs de l'émail réalisé par Anita Porchet sont particulièrement remarquables au niveau des dents du jacquemart. Un travail qui amplifie le relief du cadran, suscitant, même lorsque l'heure n'est pas enclenchée, l'idée de mouvement… « La Tambour Carpe Diem est un concentré de toutes les valeurs chères à Louis Vuitton : audace, artisanat, savoir-faire, recherche de l'excellence, observe Michael Burke. Nous n'aurions jamais pu la concevoir sans la manufacture que nous avons ouverte en 2014 à Meyrin, en Suisse. » Mais ça, c'est une autre histoire.

73

Campagne Tambour Chronographe, mouvement automatique, boîtier en acier, photographie de Jean Larivière, 2003.

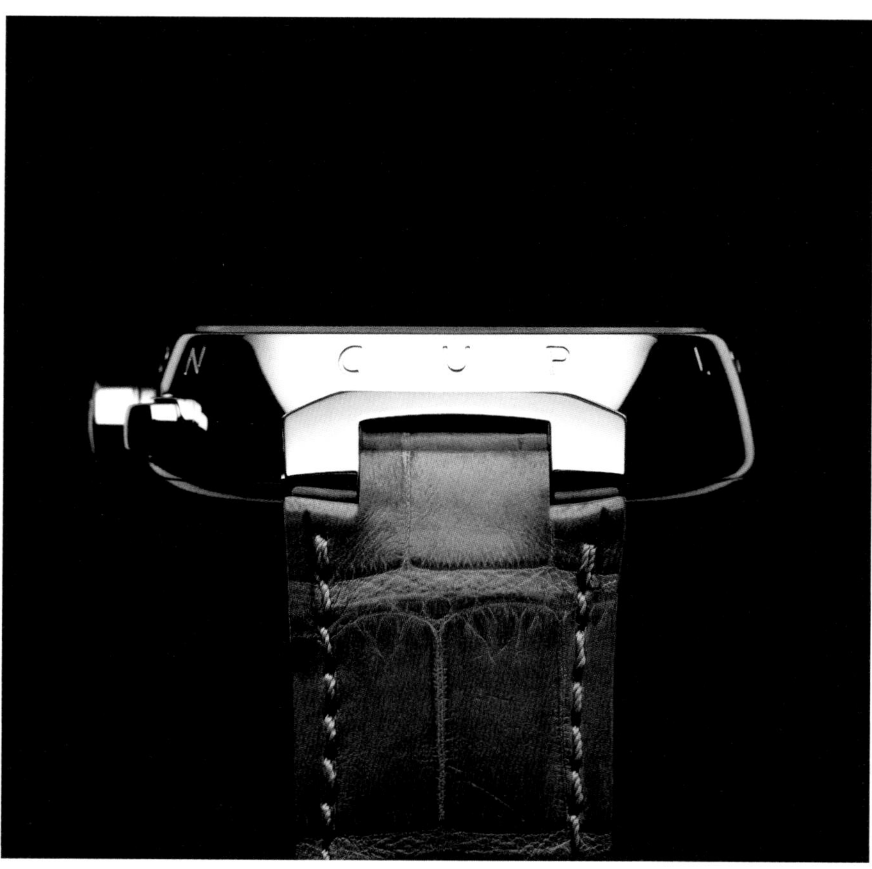

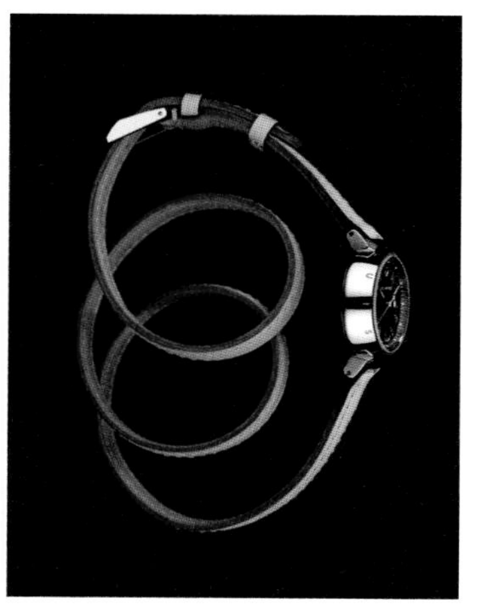

En haut, à gauche Tambour Chronographe LV Cup, mouvement automatique LV277, boîtier en acier, 2003 ; *en haut, à droite, au centre, et à droite* Tambour Chronographe, mouvement automatique, boîtier en acier, 2002 ; *au centre, à gauche* Tambour, mouvement à quartz, boîtier en acier, 2002 ; *en bas, à gauche* Tambour GMT Automatique, mouvement automatique, boîtier en acier, 2002.

75

Tambour Chronographe, mouvement automatique, boîtier en acier, portée par le troisième mannequin en partant de la gauche, photographie de Paolo Roversi, 2005.

Tambour Chronographe, mouvement automatique, boîtier en acier, photographie d'Éric Maillet pour *Numéro Homme*, 2005.

Tambour Chronographe LV277, mouvement automatique LV277, boîtier en acier, photographie de Greg Kadel, 2002.

Tambour GMT Réveil, mouvement automatique, boîtier en or blanc, photographie de Mitchell Feinberg, 2004.

79

Tambour GMT Réveil, mouvement automatique, boîtier en or blanc, photographie d'Éric Maillet pour *Numéro Homme*, 2004.

LOUIS VUITTON

Ci-dessus Tambour Spin Time Lady, mouvement automatique, boîtier en or blanc, photographie de Paola Kudacki pour *Vogue Paris*, 2010 ; *page de gauche* Tambour Monogram, mouvement quartz, boîtier en acier, 2019 ; *double page suivante* Campagne prêt-à-porter automne-hiver 2006-2007, Pharrell Williams porte une Tambour Diving, mouvement automatique, boîtier en or rose, photographie de Mert Alaş et Marcus Piggott, 2006.

En haut, à gauche Tambour Chronographe VVV, mouvement automatique, boîtier en or rose, 2015 ; *en haut, à droite* Tambour Regatta Navy, mouvement automatique, boîtier en acier, 2010 ; *en bas* Tambour Chronographe Damier Cobalt, mouvement automatique, boîtier en acier, 2019.

Steamer Bag en toile ayant appartenu à Gaston-Louis Vuitton, collection Louis Vuitton, vers 1901.

En haut, à gauche Coupe Louis Vuitton, réalisée par Puiforcat, récompensant le vainqueur de la Louis Vuitton Cup, 2005 ; *à droite* Tambour Regatta America's Cup, mouvement à quartz, boîtier en acier et caoutchouc, fonction de compte à rebours, 2012 ; *en bas, à gauche* Louis Vuitton Pacific Series, Auckland, Nouvelle-Zélande, 2009.

En haut Louis Vuitton America's Cup World Series, Fukuoka, Japon, 2016 ; *en bas* Campagne Tambour Chronographe Regatta America's Cup, mouvement automatique, boîtier en acier et caoutchouc, photographie de Sébastien Coindre, 2012.

Ci-dessus et page de droite Campagne Tambour Street Diver, mouvement automatique, boîtier en acier et or rose, photographies de Dan Tobin Smith, 2022.

LOUIS VUITTON
AUTOMATIQUE
20
30
40
50
SWISS
MADE

Tambour Chronographe, mouvement automatique, boîtier en acier, 2009.

91

Campagne prêt-à-porter homme printemps-été 2008, Tambour Chronographe, mouvement automatique, boîtier en acier, photographie de Martin Parr, 2008.

En haut, à gauche Tambour Curve Tourbillon Volant « Poinçon de Genève », mouvement mécanique LV108, boîtier en titane et CarboStratum, photographie de Guido Mocafico pour *Numéro Homme*, 2020 ; *en haut, à droite* Tambour Chronographe All Black, mouvement automatique, boîtier en acier, photographie de Guido Mocafico pour *Numéro*, 2019 ; *en bas, à gauche* Tambour Diving II, mouvement automatique, boîtier en acier et caoutchouc, photographie de Guido Mocafico pour *Numéro*, 2011.

93

Tambour Chronographe LV Cup, mouvement automatique, boîtier en acier, photographie d'Éric Maillet pour *Numéro Homme*, 2007.

Tambour Chronographe, mouvement automatique, boîtier en acier, photographie d'Erwan Frotin pour *Vogue Paris*, 2002.

95

Tambour Chronographe, mouvement automatique, boîtier en acier, photographie de Frank Hülsbömer pour *Numéro Homme*, 2007.

Tambour Small Fleurs Précieuses, mouvements à quartz, boîtiers en acier, 2004.

97

Tambour Forever, mouvement automatique, boîtier en acier, photographie de Daniel Jackson, 2007.

Tambour Slim Vivienne Jumping Hours Casino, mouvement automatique à heures sautantes, boîtier en or jaune et pierres précieuses, 2022.

En haut Tambour Slim Vivienne Jumping Hours Fortune, mouvement automatique à heures sautantes, boîtier en or rose et diamants, 2022 ; *en bas* Pendentif Vivienne décliné dans différentes couleurs d'or et diamants, 2020.

101

Campagne Tambour, Chronographe LV277, mouvement automatique LV277, boîtier en acier, photographie de Bruno Aveillan, 2009.

Ci-dessus Tambour Chronographe LV277, mouvement automatique LV277, boîtier en acier, 2012 ; *page de droite* Campagne institutionnelle *Core Values,* Sean Connery porte une Tambour Chronographe LV277, photographie d'Annie Leibovitz, 2011.

LOUIS VUITTON

104 Campagne institutionnelle *L'Invitation au voyage*, David Bowie porte une Tambour eVolution Chronographe GMT, mouvement automatique, boîtier en acier, photographie de David Sims, 2013.

105

Tambour eVolution Chronographe GMT, mouvement automatique, boîtier en acier, photographie de Coppi Barbieri, 2013.

107

Campagne Tambour Horizon, montre connectée, boîtier en acier, photographie de Mikael Jansson, 2017.

En haut et page de droite Tambour Horizon Light Up, montre connectée, boîtier en acier, 2021 ; *en bas* Campagne Tambour Horizon Light Up, montre connectée, boîtier en acier, photographie de Jacob Sutton, 2022.

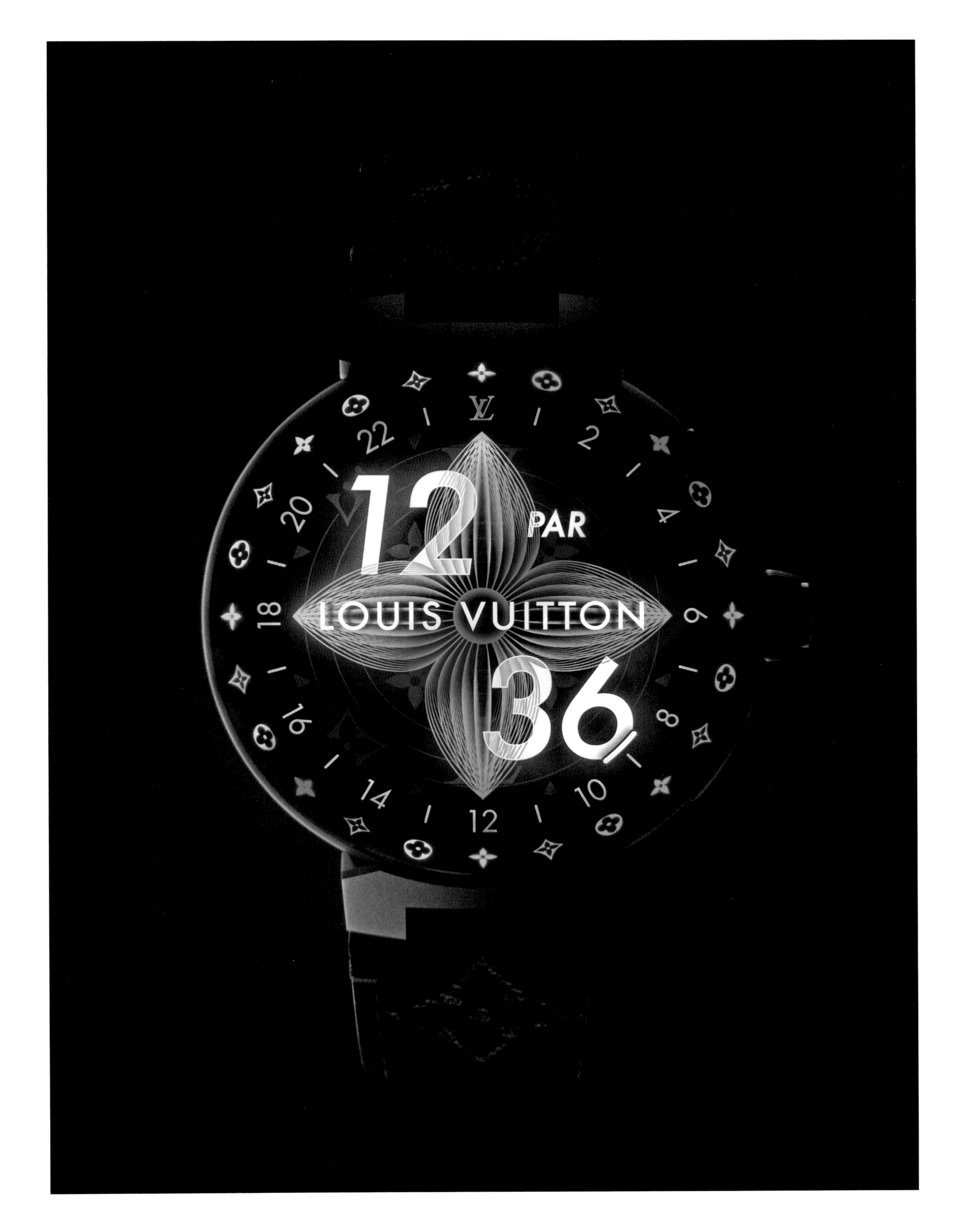
12 PAR
LOUIS VUITTON
36

En haut Campagne LV 2054 printemps 2020, collection lifestyle homme, photographie de Kenta Cobayashi, 2019 ; *en bas* Campagne LV 2054 printemps 2021, Tambour Horizon, montre connectée, boîtier en acier, photographie de Jean-Vincent Simonet, 2020 ; *page de droite* Campagne LV 2054 printemps 2020, Tambour Horizon, montre connectée, boîtier en acier, photographie de Kenta Cobayashi, 2019.

Ci-dessus et page de droite, en haut, à droite Défilé de prêt-à-porter homme automne-hiver 2019-2020, par le directeur artistique homme Virgil Abloh.

En haut, à gauche et en bas Tambour Slim Rainbow, mouvement à quartz, boîtier en acier, 2019.

Tambour Slim Monogram Savane, issue de la collaboration avec les artistes Jake et Dinos Chapman, mouvement à quartz, boîtier en acier, 2017.

En haut Défilé de prêt-à-porter homme printemps-été 2017, par le directeur artistique homme Kim Jones, en collaboration avec les artistes Jake et Dinos Chapman ; *en bas* Vitrine Chapman Brothers, Maison Louis Vuitton Champs-Élysées, Paris, France, 2017.

À gauche Tambour Slim Monogram Rope, mouvement à quartz, boîtier en acier, 2015 ; *en haut, à droite* Tambour Damier Graphite Rope, mouvement à quartz, boîtier en acier, 2015 ; *en bas, à droite* Création de Christopher Nemeth dont le motif de cordage a été repris par le directeur artistique homme Kim Jones dans sa collection de prêt-à-porter automne-hiver 2015-2016.

117

Défilé de prêt-à-porter homme automne-hiver 2015-2016, par le directeur artistique homme Kim Jones.

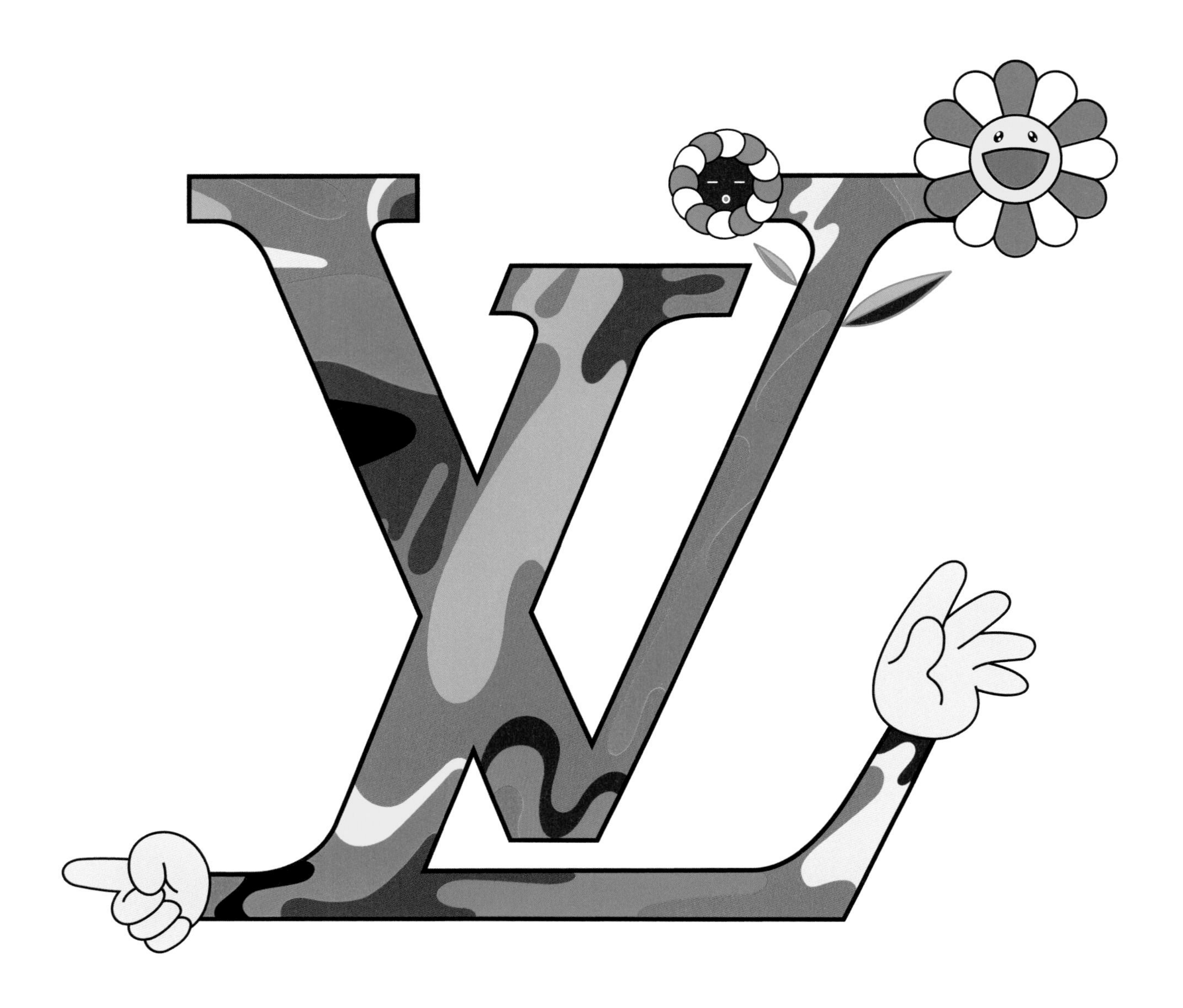

LV Hands, interprétation du logo Louis Vuitton par Takashi Murakami, 2007.

Tambour Small Love Monogram, issue de la collaboration avec Takashi Murakami, mouvement à quartz, boîtier en or jaune, 2003.

Tambour Dots Infinity, issue de la collaboration avec Yayoi Kusama, édition limitée et numérotée à 188 exemplaires, mouvement à quartz, boîtier en acier, 2012 ; vue de face (ci-dessus), vue de dos (page de droite, en haut, à gauche).

En haut, à droite Vitrine présentant notamment la Tambour Dots Infinity, magasin Louis Vuitton SoHo, New York, États-Unis, 2012.

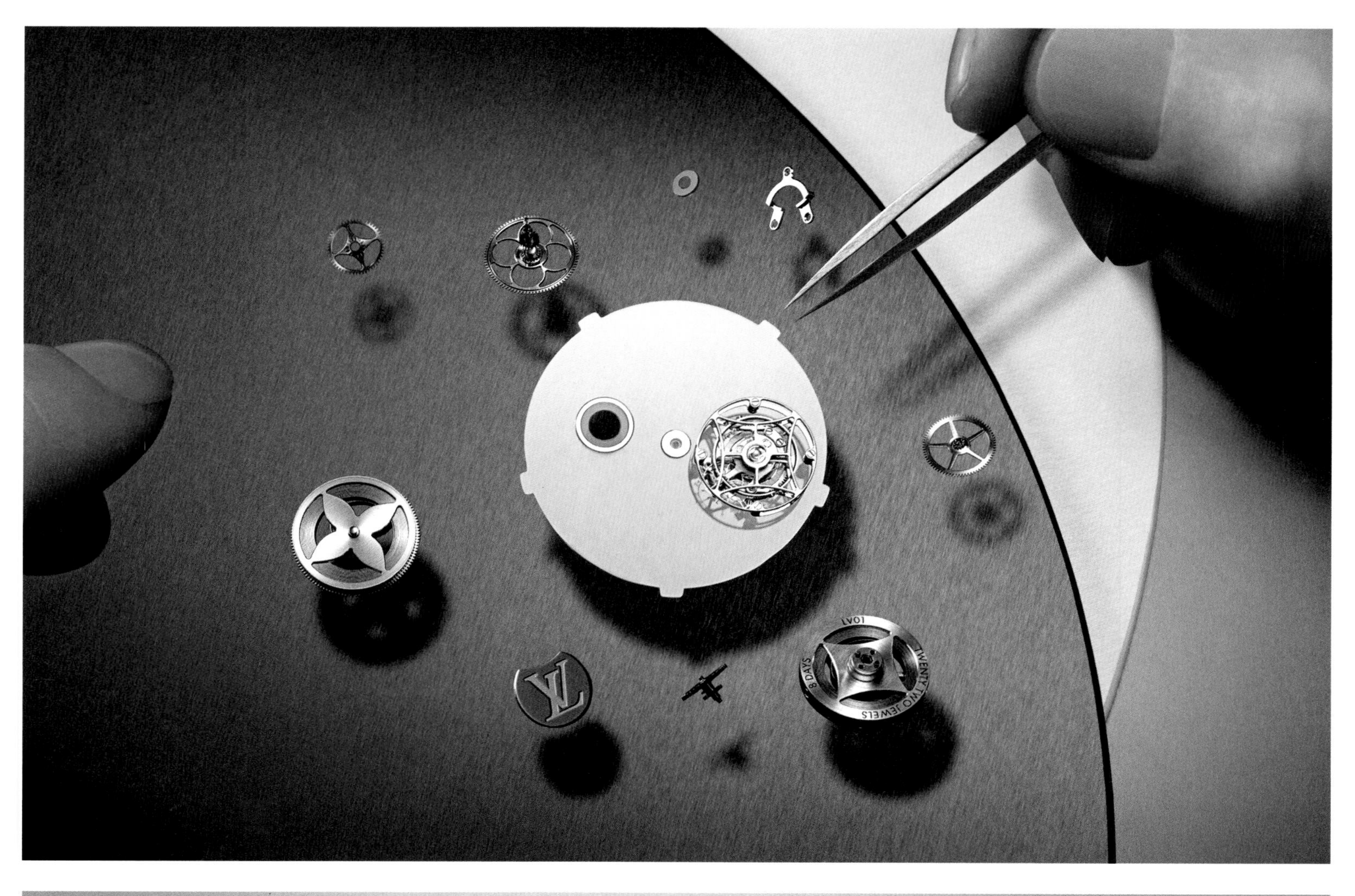

En haut Tambour Moon Mystérieuse Tourbillon Volant, assemblage du mouvement mécanique LV110, 2018 ;
en bas Mouvement mystérieux LV110 à tourbillon volant, 2018.

Tambour Moon Mystérieuse Tourbillon Volant, mouvement mécanique LV110, boîtier en or blanc, 2018.

Ci-dessus Tambour Mystérieuse, mouvement mécanique LV109, boîtier en or blanc, 2009 ; *page de gauche* Tambour Moon Mystérieuse Tourbillon Volant, mouvement mécanique LV110, boîtier en or blanc, 2018.

En haut Tambour Spin Time GMT, mouvement automatique LV119, boîtier en or blanc, 2010 ; *en bas, à gauche* Tambour Spin Time, mouvement automatique LV119, boîtier en or rose, 2012 ; *en bas, à droite* Tambour Spin Time Air, mouvement mécanique LV88, boîtier en or blanc, 2019 ; *page de droite* Tambour Spin Time Air, cube du mouvement LV88 servant à indiquer les heures, 2019.

V
V

En haut Tambour Répétition Minutes à jacquemarts, commande spéciale, mouvement mécanique LV178, boîtier pavé de diamants, 2018 ; *en bas* Tambour V, mouvement automatique, boîtier en or rose pavé de diamants, 2011.

129 Tambour Répétition Minutes Baguettes, mouvement mécanique LV178, boîtier pavé de diamants, 2011.

Tambour Moon Tourbillon Volant « Poinçon de Genève », mouvement mécanique LV99, boîtier pavé de diamants, 2019.

Tambour Moon Tourbillon Volant « Poinçon de Genève », composants du mouvement mécanique LV99, 2019.

Dans les rouages de La Fabrique du Temps

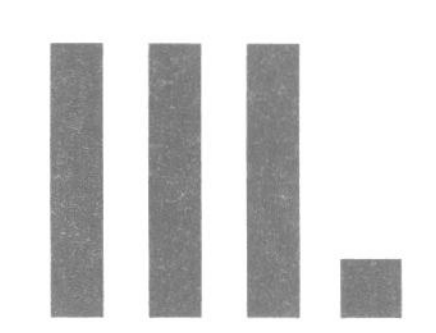

50M SWISS
TWENTY TWO JEWELS
8 DAYS

30 M
SWISS
MADE
LOUIS VUITTON
LA FABRIQUE DU TEMPS
CALIBRE LV178
THIRTY FOUR JEWELS
LOUIS VUITTON
ADJUSTED TO SIX POSITIONS
LV01
SWISS MADE
LV01
Q10D3
Au 750

CALIBRE LV178
LOUIS VUITTON
ADJUSTED TO SIX POSITIONS
LV 01
SWISS MADE

LV

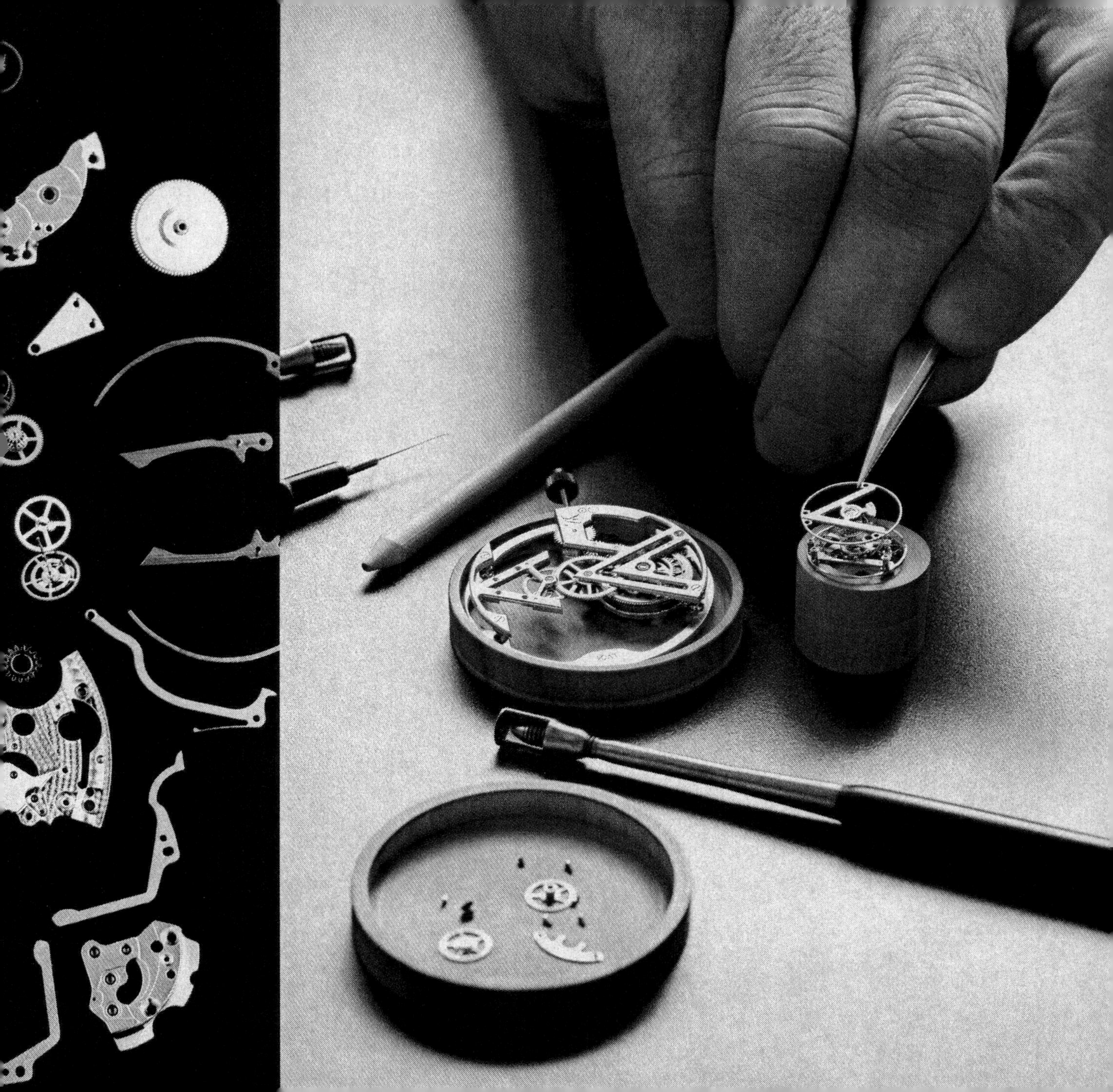

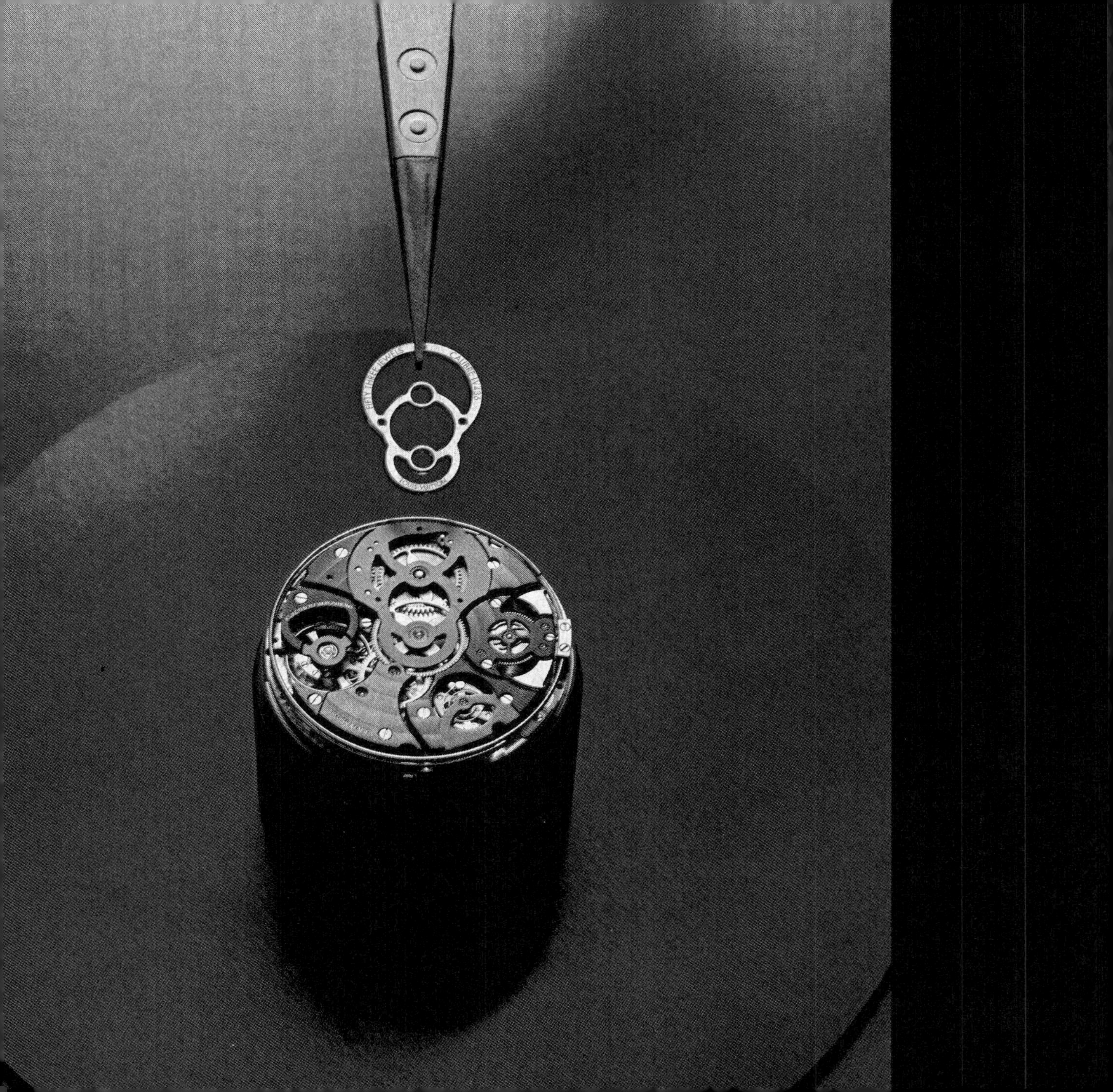
FIFTY THREE JEWELS
CALIBRE LV436
LOUIS VUITTON

CALIBRE LV178
THIRTY FOUR JEWELS
LOUIS VUITTON
ADJUSTED TO SIX POSITIONS
LV10
SWISS MADE
18K GOLD
LV10

Dans les rouages de La Fabrique du Temps

III.

Pas de hall monumental en marbre vert ou noir. Ni de sculpture absconse représentant le Temps avec un grand T. Il ne flotte pas davantage ce parfum d'huile de moteur qui émane généralement des salles de machines des manufactures XXL où sont débités à la chaîne des centaines de milliers de composants horlogers infinitésimaux. Serait-ce la taille humaine de ce bâtiment dans lequel jamais on ne se perd ? ou cet aménagement de l'espace luxueusement minimal qui, dès l'entrée, souffle au visiteur de quelle chair l'ouvrage sera fait ? Quoi qu'il en soit, La Fabrique du Temps Louis Vuitton ne ressemble à aucune autre unité horlogère helvétique. Le décor se compose d'une pile de malles de voyage anciennes, de meubles de la collection Objets Nomades de Louis Vuitton, et de grands tableaux affichant les blasons en couleurs reproduits au début du siècle dernier sur les bagages d'une clientèle de riches bourgeois. Juste en face est érigé un immense escalier blanc à colimaçon, qui, à y regarder de plus près, reprend la forme de l'une des pièces maîtresses du garde-temps mécanique, le spiral. La marque et la montre sont donc réunies au sein de ce « centre de compétences », inauguré à Meyrin, près de Genève, en 2014. « Ce sont deux mondes presque antagonistes qu'il faut mixer, unir, faire fonctionner, affirme Enrico Barbasini, maître horloger et cofondateur de La Fabrique du Temps, en conservant l'originalité et l'esprit de Louis Vuitton, tout en respectant les principes de la haute horlogerie classique et en évitant de céder à la facilité. C'est parfois difficile de remplir et d'allier tous ces critères, mais on s'y emploie ! »

De facto, lors de l'ouverture de cette manufacture, Hamdi Chatti, directeur horlogerie et joaillerie de l'époque, se doutait que le chemin ne serait pas semé de roses. « Dès 2002, Louis Vuitton a placé la barre très haut. On avait tout, les idées, les hommes et les femmes pour les réaliser, il fallait mettre en place les savoir-faire. La mission de La Fabrique du Temps était d'encourager la création et l'innovation, de permettre de développer des montres originales qui soient en phase avec l'image et l'histoire de la marque. » Sans oublier d'« établir l'audace comme valeur fondamentale », selon les propres termes de Michael Burke.

Premier défi, réunir sous un même toit trois métiers qui d'ordinaire vivent séparément, à savoir la production de mouvements, la confection de cadrans et l'assemblage des montres. À cela s'ajoutait le déménagement à Genève des artisans de l'unité de fabrication de La Chaux-de-Fonds. « Notre volonté était de bâtir les conditions les meilleures pour que les gens vivent en bonne harmonie, poursuit l'ancien directeur horlogerie et joaillerie. Les ingénieurs, designers, horlogers ne peuvent pas créer s'ils ne se sentent pas bien. De cette synergie est né un esprit particulier, celui de La Fabrique du Temps. » Le géant du luxe se donne les moyens de le cultiver en demandant à l'architecte Grégoire Gilliot de construire sur cet ancien site de Sanofi un bâtiment aux espaces clairs, baignés de lumière, où le regard peut à tout moment embrasser la ligne apaisante des montagnes du Jura suisse et français.

Une centaine de personnes opèrent aujourd'hui dans cette fabrique de 4 500 mètres carrés qui est dotée d'une capacité de production de trente mille montres par an. « La première fois que j'ai visité La Fabrique du Temps, j'avais l'impression d'être dans la manufacture d'un horloger indépendant, affirme Jean Arnault, directeur marketing et développement de l'horlogerie. L'ambiance est familiale. Chaque artisan suit sa montre de A à Z. Il n'y a pas de chaîne d'assemblage et l'on perçoit cette volonté de valoriser l'homme, ainsi que tous les métiers qui sont regroupés au sein de l'atelier. »

Qu'il soit simple à trois aiguilles ou extrêmement sophistiqué, chaque garde-temps est assemblé *in situ* à la manufacture de Meyrin. Autre spécificité du lieu : les éléments les plus complexes de ses montres sont réalisés sur place plutôt que d'être confiés à des sous-traitants. Louis Vuitton ne s'interdit pas non plus de faire appel à de nouvelles technologies pour améliorer la qualité ou l'isochronie de ses montres.

Des aiguilles au boîtier en passant par le cadran, le bracelet, la boucle et le mouvement, tous les éléments qui composent une montre Tambour font l'objet d'un même processus. Le temps se fabrique ici dans les règles de l'art. « Nous recevons un brief avec tous les détails du futur modèle, les matières, le type de mouvement, les finitions, etc., explique Éric Dole, responsable du bureau technique. Nous créons la montre en 3D sur un ordinateur pour visualiser l'ensemble des questions d'ingénierie. Ensuite, nous réalisons une cire du boîtier en résine pour voir les volumes, puis nous fabriquons un prototype en métal qui permettra la validation esthétique avec les différentes couleurs et terminaisons. Quand toutes les étapes sont approuvées, la production est lancée. » En moyenne, il s'écoulera deux années entre la conception du modèle et sa sortie en magasin. Pour les pièces à complication, les temps de développement peuvent être plus importants.

Dans l'atelier de haute horlogerie où les calibres complexes sont disséqués et épinglés comme des papillons sur des tableaux à la limite de l'abstraction, Michel Navas et Enrico Barbasini opèrent de concert pour donner vie à de nouveaux mécanismes. Le premier possède un sens inné des proportions, un don pour assembler les composants qui le préserve des grains de sable pouvant s'immiscer dans les rouages. Tandis que le second, doté d'une imagination débordante, est connu pour savoir transposer ses idées, même les plus extravagantes, en langage horloger. « Ce qui les distingue des autres, c'est que les garde-temps compliqués qu'ils inventent marchent, confie un concurrent suisse. Dans cet univers, ce n'est hélas pas toujours le cas. »

C'est ici que les deux maîtres horlogers ont conçu une vingtaine de mouvements qui, du calibre automatique à la répétition minutes en passant par les tourbillons, les heures universelles, les chronographes de régate, le calibre mystérieux, ou encore les jacquemarts, donnent la mesure du chemin parcouru en deux décennies à peine. « Nous ne sommes pas dans les temps habituels de l'horlogerie, constate Michel Navas, nous allons beaucoup plus vite car tout est intégré. D'un département à l'autre, nous nous parlons, c'est beaucoup plus flexible. Nous avons créé une vingtaine de calibres en dix ans, c'est énorme ! Et on n'entend pas en rester là. »

Parmi les pièces maîtresses, la Spin Time créée en 2009 est devenue emblématique du savoir-faire horloger de Louis Vuitton. Cette montre mécanique à remontage automatique est une interprétation contemporaine en trois dimensions des mouvements à heures sautantes. « La montre est composée de douze cubes, en lieu et place des douze index des heures, sur lesquels est inscrite une des douze lettres de Louis Vuitton, explique Enrico Barbasini. Chaque heure, une came pousse deux cubes pour qu'ils sautent : le premier dont la face décorée indiquait l'heure qui vient de s'écouler tourne pour présenter une face neutre, tandis que le cube d'à côté correspondant à l'heure à venir laisse apparaître sa face décorée. » Cet affichage ludique et breveté a fait l'objet en 2019 d'une version aérienne, la Spin Time Air où le mécanisme miniaturisé, le LV88, est caché au centre du cadran. « Nous sommes passés d'un calibre d'un diamètre de 30 millimètres à un mouvement de 20 millimètres tout en conservant la fonction originelle de la Spin Time », explique Michel Navas. Ainsi, les mini-cubes ou les mini-cylindres des modèles féminins semblent flotter littéralement dans l'air à la façon de satellites. Depuis 2019, la Spin Time Air a donné lieu à de multiples variations et personnalisations rendues possibles grâce à la configuration de ce calibre. Sans doute parce que la transparence et la légèreté apportée par les deux glaces saphir font ressortir les finitions — sertissage de pierres, émaillage, etc.

Ateliers horlogers, La Fabrique du Temps Louis Vuitton.

Cadran à large ouverture laissant apparaître le mouvement, intégrant deux couronnes – une pour les heures et les minutes à remontage automatique, une pour le bi-chronographe à remontage manuel –, Tambour Twin Chrono Grand Sport.

En 2022, La Fabrique du Temps conçoit une étonnante version hybride, la Spin Time Air Quantum qui intègre un système électronique de LED. « La Quantum fait entrer la Spin Time dans une quatrième dimension, celle de la lumière », observe Michel Navas. Grâce à un ingénieux circuit microélectronique et un traitement de surface hyper-sophistiqué, chaque cube des heures est puissamment éclairé et ce de façon homogène grâce à des diodes individuelles.

Autre mécanisme phare, celui de la répétition minutes développée en 2011. Cette montre qui a demandé deux ans de conception résume parfaitement le positionnement horloger de la griffe. « Louis Vuitton conçoit des mouvements qui lui ressemblent », rappelle un jeune artisan de La Fabrique du Temps. Aujourd'hui, la marque ne produit qu'une vingtaine de répétition minutes par an tant sa réalisation demeure complexe. Autre sujet emblématique de la haute horlogerie telle que la conçoit le malletier, la Tambour Mystérieuse, présentée en 2009. Cette pièce d'une beauté aérienne est la première montre entièrement créée, développée et assemblée à La Fabrique du Temps de Genève. Son calibre LV109, façonné à la main, affiche une réserve de marche de huit jours et huit heures, en hommage à ce chiffre porte-bonheur.

En 2015, la marque couple sa répétition minutes avec le mécanisme à heures universelles de l'Escale Worldtime qui avait été saluée l'année précédente pour la lisibilité de son cadran orné des blasons en couleurs symbolisant vingt-quatre villes dans le monde. Malgré la grande complexité de ce calibre comptant quatre cent quarante-sept composants, il demeure intelligible. « À partir d'un seul et unique poussoir, on remonte la montre, on ajuste les villes et on la met à l'heure, nous explique-t-on dans l'atelier de haute horlogerie. Si les créateurs de mouvements ont tendance à oublier l'utilisateur final, nous le mettons au centre de nos préoccupations : plus la montre sera complexe, plus elle devra être simple à manipuler. Nos calibres doivent être comme les autres objets de Louis Vuitton, solides, pragmatiques et faciles à manier. » En 2019, la société multiplie les difficultés en associant sa répétition minutes à un tourbillon volant sur un modèle Voyager. Bien que pourvu cette fois-ci d'un timbre cathédrale, ce petit chef-d'œuvre de miniaturisation mécanique a été pensé pour marcher « normalement », sans que son propriétaire ait dû passer par Polytechnique pour le faire fonctionner.

La Tambour Moon Mystérieuse Tourbillon Volant, une pièce créée en 2018, constitue également un exemple d'ingéniosité – aussi belle qu'autonome, puisqu'elle dispose d'une réserve de marche de huit jours. « Lorsque le premier modèle a été terminé, se rappelle Enrico Barbasini, on trouvait que le mouvement était un peu sous-dimensionné, il flottait trop entre les deux glaces saphir. On a décidé de rajouter un second barillet. On a tout démonté et refait. Cela nous a pris deux mois supplémentaires de travail, mais dans le même temps, on avait une réserve de marche autrement plus longue ! »

De ce bon sens bien trempé est née la Tambour Twin Chrono, un « bi-chronographe monopoussoir à affichage différentiel ». Sous cette appellation obscure se cache une pièce aussi inédite qu'inventive. Imaginé en 2013 lors du partenariat entre Louis Vuitton et l'America's Cup, ce chronographe est le seul au monde à afficher sur son cadran l'unique paramètre qui, en vérité, intéresse les marins d'une régate : la différence de temps entre les deux premiers concurrents. La Twin Chrono la donne sur un troisième compteur placé à midi. À l'intérieur du boîtier, quatre barillets et quatre échappements marchent comme quatre moteurs indépendants reliés par un différentiel. Ce système permet d'afficher cette fonction qui n'existait pas auparavant et qui aurait mérité un prix d'innovation. La marque en a fabriqué une cinquantaine d'exemplaires qui ont tous trouvé preneur. « Ne pas avoir cent ans d'histoire horlogère derrière nous nous donne les coudées franches, constatent d'une même voix Michel et Enrico, dont l'atelier fabrique environ six cents pièces de haute horlogerie par an. Louis Vuitton encourage la créativité. Nous n'avons jamais été bridés. Nous ne nous interdisons rien, n'en déplaise aux ayatollahs de ce secteur ! » En témoignent les trois best-sellers de Louis Vuitton : les Tambour à répétition minutes, à tourbillon et les Tambour Spin Time et Spin Time Air.

Il n'empêche que cette faculté à oser, cette soif de créer des garde-temps différents dans un style souvent exubérant et dans des domaines où les marques traditionnelles ne s'aventurent guère ne pourraient exister sans la maîtrise parfaite des lois de la haute horlogerie classique. L'obtention du Poinçon de Genève en témoigne. Cette certification établie en 1886 par le canton genevois pour récompenser la « bienfacture » de certains calibres horlogers est connue pour son niveau d'exigence très élevé concernant les fournitures, les matériaux, les finitions des montres. Chaque mouvement doit être assemblé et réglé à Genève par une entreprise genevoise. Louis Vuitton l'obtient pour la première fois en 2016 sur la Voyager Tourbillon Volant dont le mécanisme monté à la verticale laisse apparaître sa haute technicité. L'année d'après, la Tambour Moon Tourbillon Volant arbore également le précieux poinçon. En 2020, la certification couronne la très high-tech Tambour Curve Tourbillon Volant. Sur cette dernière, l'organe régulateur inventé par Abraham-Louis Breguet est entièrement squeletté et placé dans une cage en titane, à neuf heures. L'effet visuel du tourbillon qui effectue une rotation complète en une minute est renforcé par la construction même du mouvement où la platine est habillée de noir. En 2021, Louis Vuitton lui ajoute sa fonction préférée, l'indication d'un second horaire.

Cette année-là, la marque associe ses deux leitmotivs, un calibre de haute horlogerie inédit et une créativité débridée, sur une montre à jacquemarts, la Tambour Carpe Diem. Cette montre à automates d'une complexité infinie vient couronner plusieurs années de labeur dans un domaine jalousement tenu secret, celui des commandes spéciales. Car depuis son arrivée dans ce secteur, Louis Vuitton offre à ses clients la possibilité de personnaliser leurs garde-temps. De cette relation directe avec le public — comme toutes les lignes Louis Vuitton, l'horlogerie n'est disponible que dans les magasins de l'enseigne — sont nées des pièces surprenantes. « En 2015, un collectionneur nous a demandé une montre à jacquemarts sur laquelle l'armée des soldats en terre cuite de l'empereur Qin serait mise en scène, explique Philippe Houal, responsable haute horlogerie à La Fabrique du Temps, qui réalise une centaine de commandes spéciales par an. Nous avons aussi conçu un modèle de poche à répétition minutes inspirée de Versailles. Sur le cadran, face au château et aux jardins d'André Le Nôtre, les fontaines de Louis XIV s'animent tandis qu'Apollon conduit un char tiré par des chevaux sortant de l'eau ... » Autre pièce spectaculaire, l'érotique Tambour rendant hommage au *Día de los Muertos*, fête célébrée au Mexique en novembre. Elle a été réalisée en 2017 pour un client sud-américain, collectionneur de vanités et de pièces de haute joaillerie. Cette répétition minutes à jacquemarts affiche sur son cadran une tête de mort haute en couleurs qui roule des yeux et tire la langue en compagnie de sept couples de squelettes qui se meuvent explicitement lorsque la répétition minutes est activée. Le diable se nichant dans les détails, Dick Steenman, le graveur qui a façonné les personnages, s'est attaché à reproduire — grâce à des aiguilles d'acupuncteur ! — les différences de genre entre les squelettes avec qui un crâne moins gros, qui un bassin plus large ... « Les commandes spéciales poussent artisans et maîtres horlogers à se dépasser, poursuit le responsable de ce département. Ces montres sur mesure confèrent à La Fabrique du Temps une base de savoir que nous pouvons ensuite employer dans nos collections. » La Tambour Carpe Diem, dévoilée en 2021, est sans doute le modèle le plus représentatif de ce que la manufacture peut développer aujourd'hui. « [Ce modèle] est beau mais il n'est pas conventionnellement beau. Il est luxueux, avec ses débauches de matières nobles, mais c'est le concept qui préside à sa création qui est son plus grand apparat, ce point de départ arbitraire et génial d'une

Mouvement automatique LV88, Tambour Spin Time.

Mouvement mécanique LV108, Tambour Curve Tourbillon Volant « Poinçon de Genève ».

production, le caprice originel qui a requis, pour être matérialisé, toute l'inventivité et la persévérance des équipes techniques, mises au défi de réaliser l'idée lancée en quelques secondes par l'intuition du [créateur]. » Cette réflexion de la critique d'art Jill Gasparina au sujet du sac Tribute Patchwork de Marc Jacobs en 2006 pourrait parfaitement s'appliquer à la Tambour Carpe Diem. « Comme nous n'avons pas de montres iconiques qui auraient cent ans d'âge, constate Matthieu Hegi, nous partons d'une page blanche pour les inventer. Louis Vuitton nous demande de faire des choses folles. Pour la Tambour Carpe Diem, le design est inspiré de l'univers des tatouages, ce qui n'est pas un terrain habituel du luxe… » Ce « caprice originel » prend ici la forme d'une tête de mort, d'un serpent et d'un sablier. Ensemble, ils jouent un spectacle saisissant où chaque animation est d'une fluidité, d'un naturel remarquables. « Bien que son look soit très particulier, l'expertise horlogère qui a présidé à la création de cette montre est impressionnante, reconnaît SJX, fondateur du blog du même nom spécialisé dans l'horlogerie et établi à Singapour. La marque se distingue par son sens créatif et sa capacité à innover dans le domaine des complications. »

L'une des caractéristiques majeures de la Carpe Diem est que ses jacquemarts sont fonctionnels : en clair, ils donnent l'heure. Ainsi, en l'absence d'aiguilles sur le cadran, elle ne s'affichera qu'à la demande. En actionnant un poussoir, la montre s'anime et les protagonistes de l'histoire, le serpent et le crâne, vont l'indiquer. La tête du reptile se lève pour dévoiler le guichet des heures placé sur le front du crâne, tandis que la queue du crotale oscille en direction des minutes, gravées sous le sablier de la réserve de marche. C'est alors que la Mort devient moqueuse, lançant des clins d'œil en forme de fleur de Monogram qui apparaissent dans l'une de ses orbites. Sa mâchoire laisse échapper un rire duquel surgit en toutes lettres Carpe Diem – « Cueille le jour présent » –, selon les vers du poète Horace, invitant l'homme à ne pas se soucier du lendemain… Avec pas moins de trois complications – une aiguille rétrograde des minutes, une heure sautante et un indicateur de réserve de marche –, cette montre a nécessité plus deux ans de développement. Son calibre, le LV525, est un joyau de haute horlogerie qui fait actuellement l'objet d'une demande de cinq brevets. « Notre objectif était de sortir des sentiers battus, expliquent Michel Navas et Enrico Barbasini. Nous désirions apporter à ces automates miniaturisés notre vision du XXIe siècle avec toute la fougue et la créativité qui caractérisent notre maison depuis qu'elle a investi l'horlogerie en 2002. C'est la montre la plus aboutie de notre carrière ! » Pour l'instant.

Vue des montagnes du Jura depuis La Fabrique du Temps Louis Vuitton, Meyrin, Suisse.

Ci-dessus Entrée extérieure de La Fabrique du Temps Louis Vuitton, Meyrin, Suisse ; *double page suivante* La Fabrique du Temps Louis Vuitton, Meyrin, Suisse.

11

LA FABRIQUE DU TEMPS
LOUIS VUITTON

ABC
R
D
12
AB
NOPQRSTUVWXYZ
78
56
EFGH
LV
ABCD
FGHIJK
LMNOP
K

La Fabrique du Temps Louis Vuitton, escalier en colimaçon (ci-dessus) et hall d'entrée (page de gauche).

Gouache du modèle pavé de diamants, Tambour Curve Tourbillon Volant « Poinçon de Genève ».

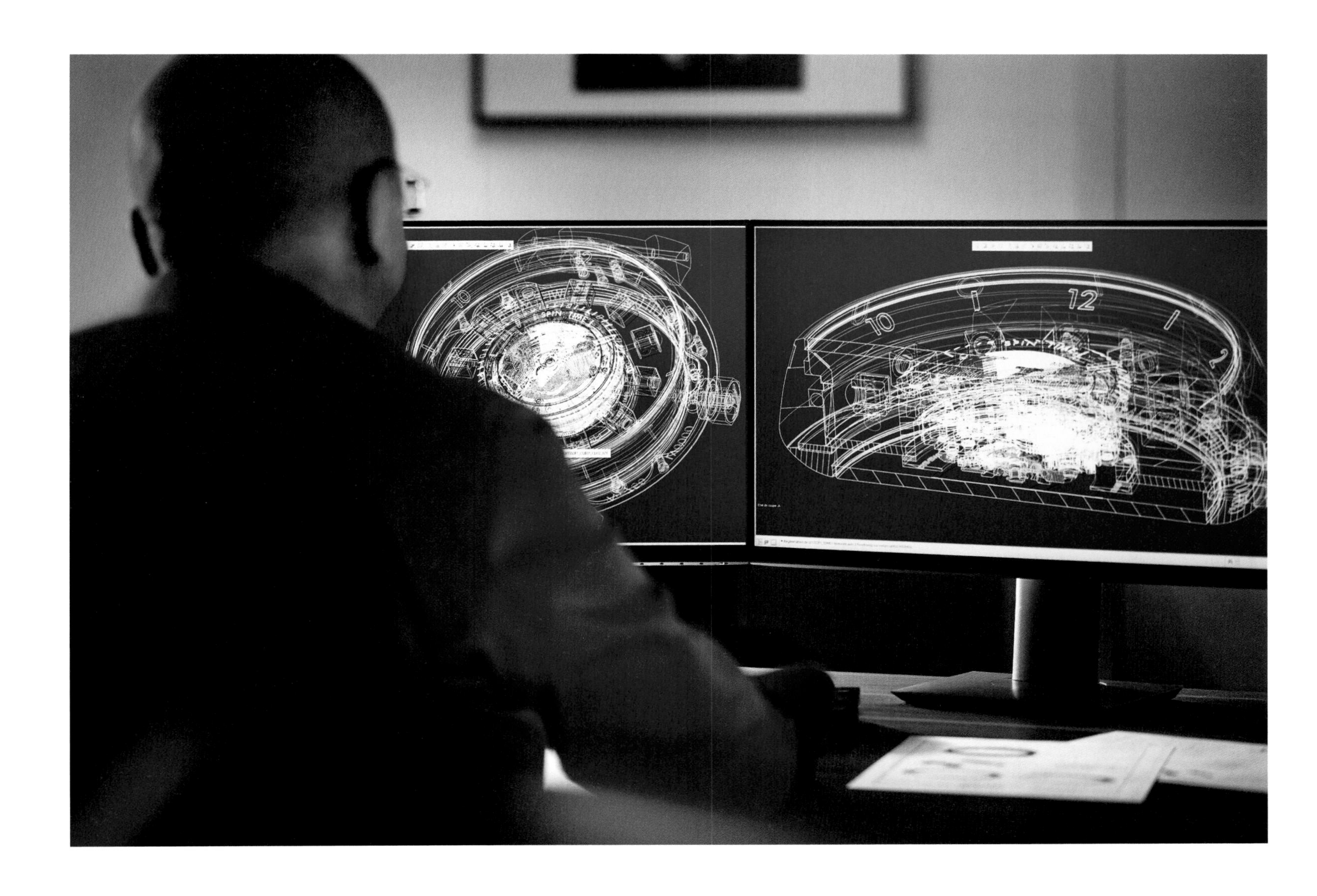

Conception 3D, Tambour Spin Time Air.

N°1064
12H
W408S2
LV1520F01 CAD01
BAS01 OP2

Ci-dessus Fleur de Monogram sculptée dans la nacre pour un cadran de montre ; *page de gauche* Finition après usinage du cadran en laiton, Tambour Curve Tourbillon GMT.

Ci-dessus Étape de galvanoplastie pour des composants de cadrans ; *page de droite* Bain de rhodiage des cadrans, Tambour Monogram Forever ; *double page suivante* Contrôle dimensionnel d'un prototype en cire, Tambour Spin Time Air.

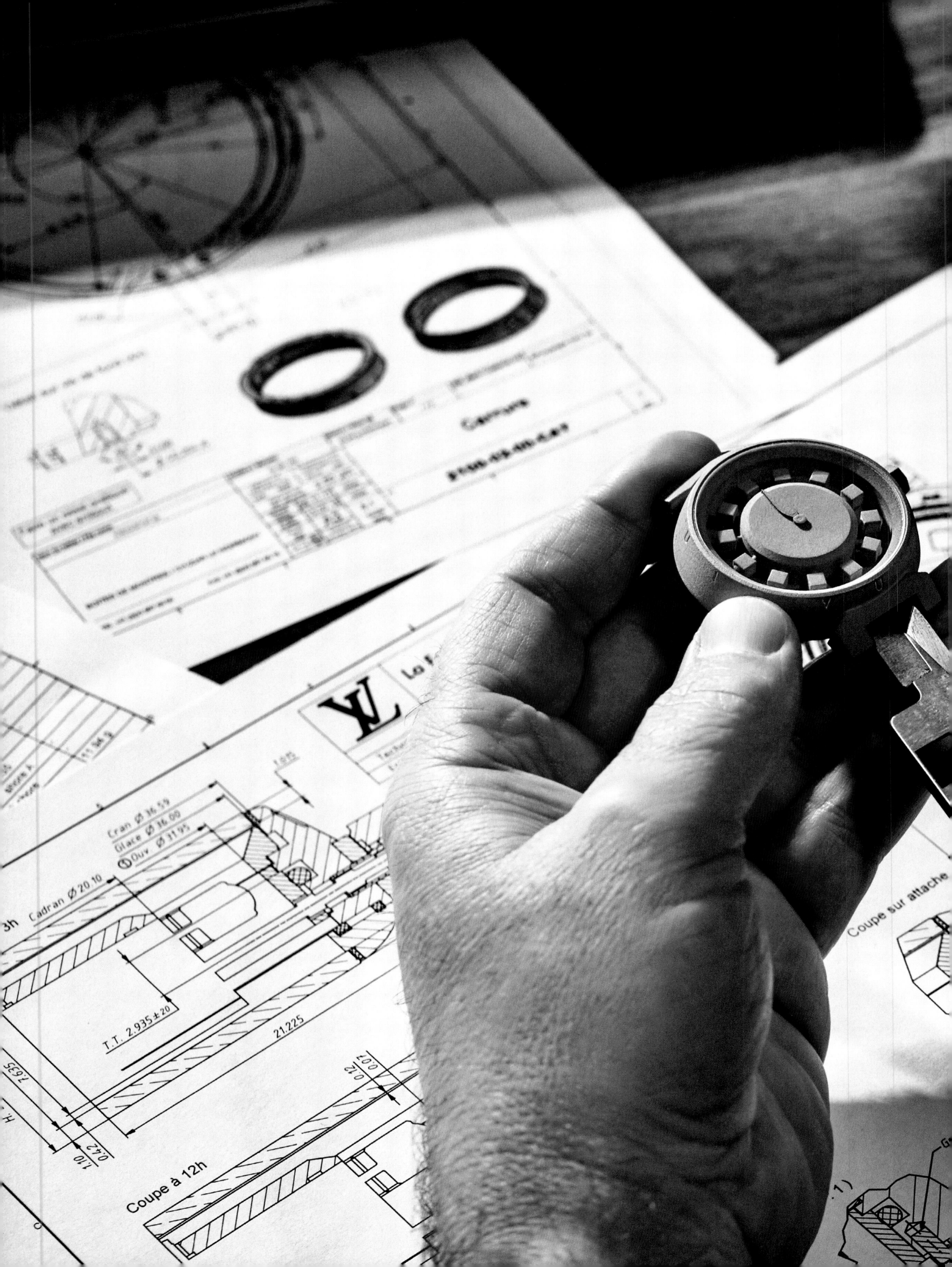
Cran Ø 36.59
Glace Ø 36.00
Ouv. Ø 31.95
Cadran Ø 20.10
T.T. 2.935±.20
21.225
Coupe à 12h
Coupe sur attache

INOX TREMPE
SWISS
TESA
MADE
0,02mm
ANTICHOC
Tambour Spin Time 10 ans
2177-01-MON
(dép. goupille)
Ø1.005 (carrure)

Assemblage du cadran, Tambour Twin Chrono Grand Sport.

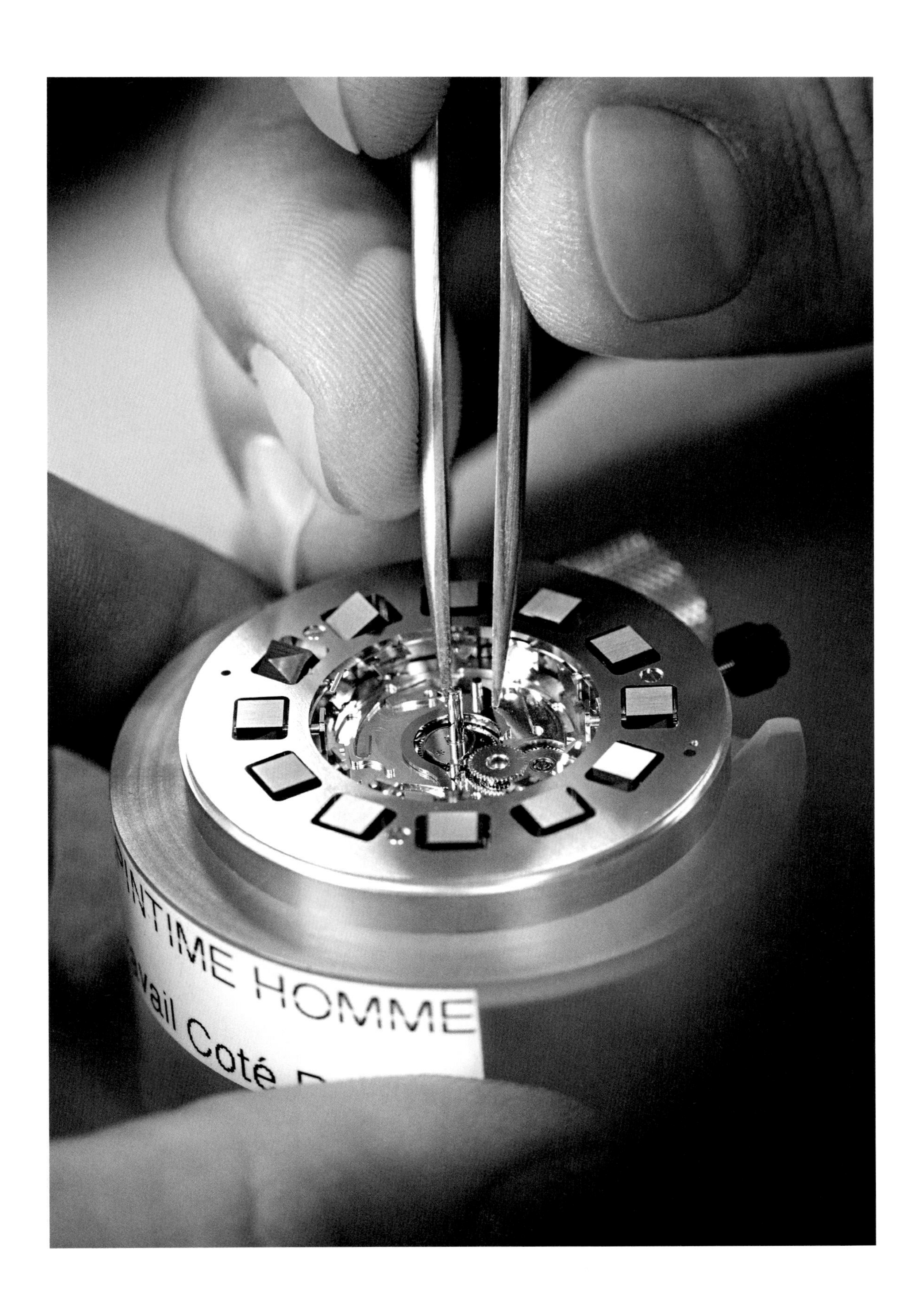

Ci-dessus Assemblage du cadran, Tambour Spin Time Evolution ; *double page suivante* Emboîtage du mouvement à tourbillon LV103, Tambour Tourbillon Monogram.

LV52
SWISS MADE

LV103

Ci-dessus Masse oscillante, Tambour Spin Time Regatta ; *page de gauche* Polissage des têtes de vis avant assemblage.

Ci-dessus Contrôle de qualité des rubis, Tambour Mystérieuse ; *page de droite* Michel Navas, maître horloger à La Fabrique du Temps.

Émaillage du cadran (ci-dessus) et contrôle après cuisson du cadran en émail grand feu (page de droite), Tambour Twin Chrono.

VUITTO
EMAIL GRAND FEU

BLEU

Ci-dessus et page de gauche Peinture miniature sur cadran, Escale Worldtime.

Ci-dessus Contrôle qualité d'une montre Tambour après assemblage ; *page de droite* Pose des aiguilles sur une montre Tambour.

17.05.2021

Contrôle de résistance aux chocs (ci-dessus) et contrôle d'étanchéité (page de droite), Tambour Street Diver.

LA FABRIQUE DU TEMPS
LV

Ci-dessus Contrôle après assemblage du mouvement mécanique LV95, Voyager Tourbillon Volant « Poinçon de Genève » ; *page de gauche* Enrico Barbasini, maître horloger à La Fabrique du Temps.

LOUIS VUITTON
CALIBRE LV436
FIFTY THREE JEWELS

Cadran après gravure (ci-dessus) et composants du mouvement mécanique LV178 (page de gauche), Tambour Répétition Minutes à jacquemarts, commande spéciale.

Tambour Répétition Minutes à jacquemarts, commande spéciale, mouvement mécanique LV178, boîtier pavé de diamants, 2018 (page de droite) ; vue des squelettes (ci-dessus).

Gouaches (ci-dessus) et composants du mouvement mécanique LV200 (page de droite), Tambour Répétition Minutes « Space Odyssey » à jacquemarts, commande spéciale, 2021.

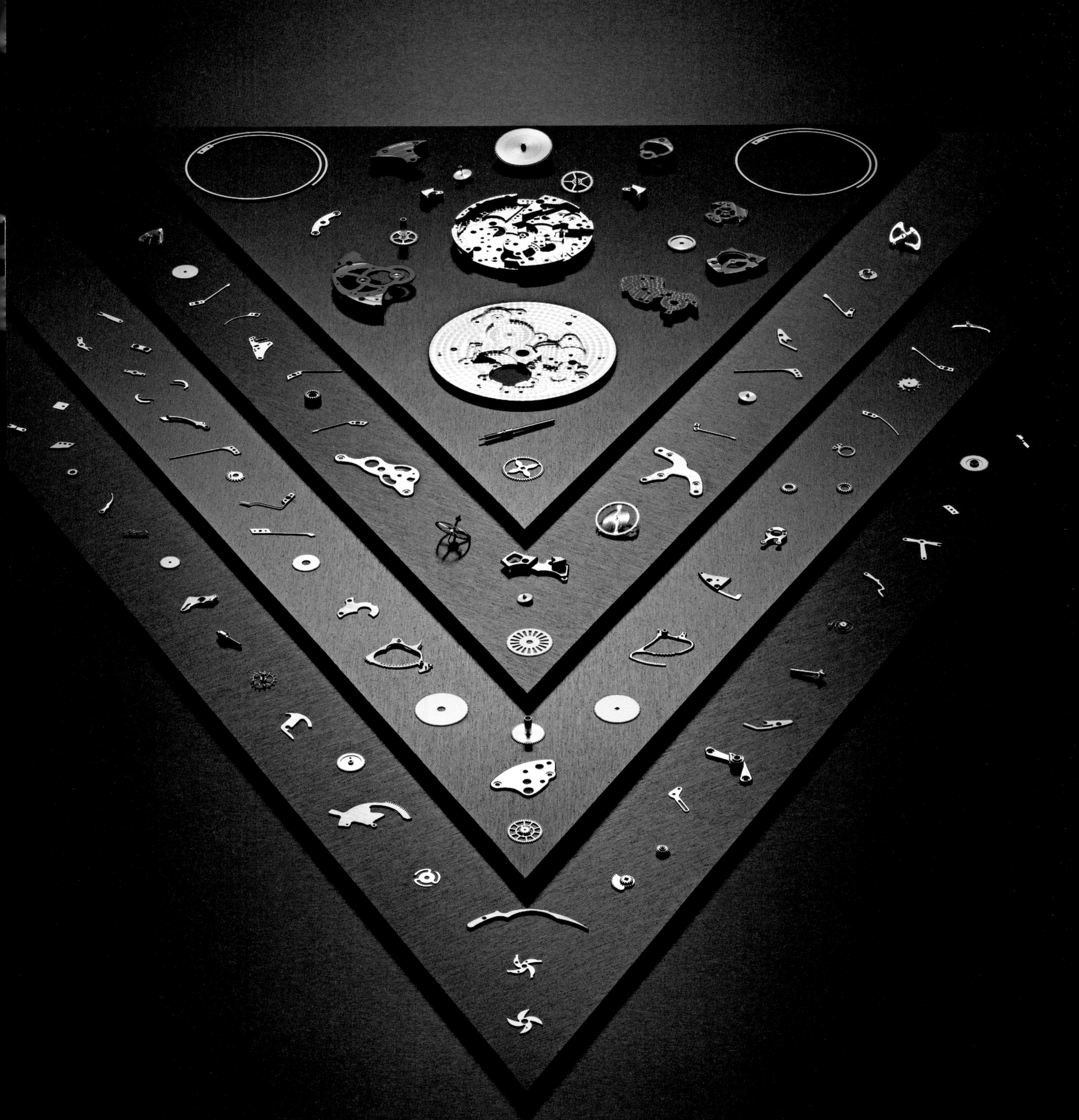

LOUIS VUITTON
0 10 20 30 40 50

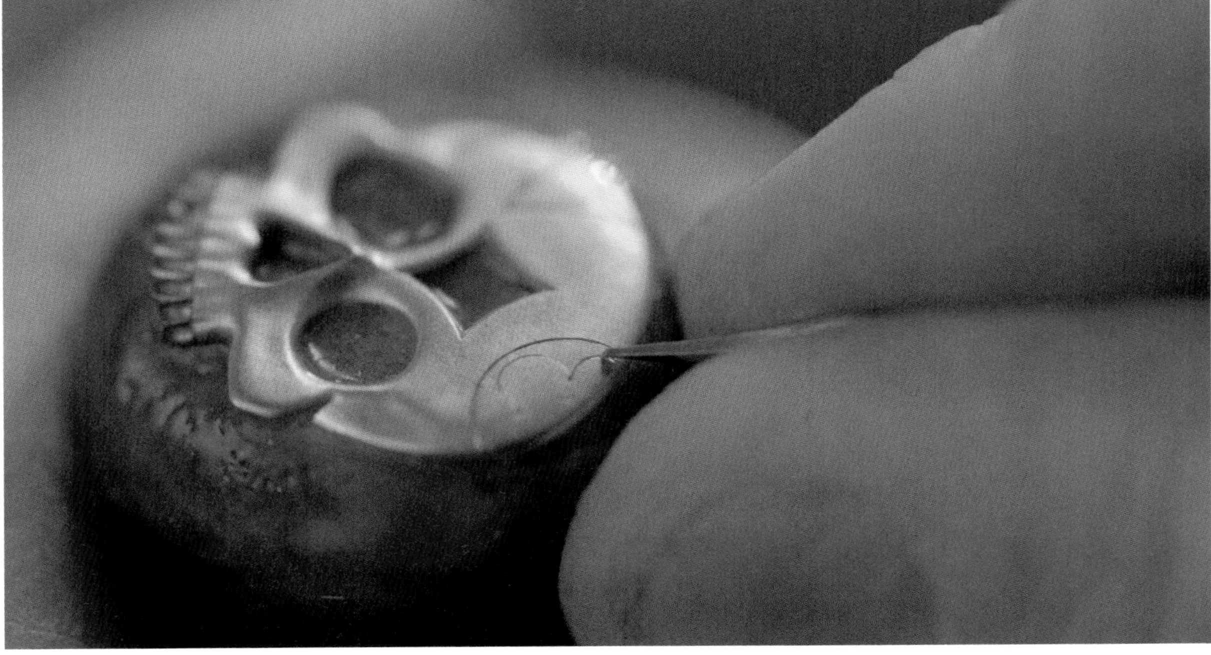

Tambour Carpe Diem à jacquemarts, mouvement mécanique LV525, boîtier en or rose, 2021 (page de gauche) ; gravure du squelette (ci-dessus).

Tambour Carpe Diem à jacquemarts, mouvement mécanique LV525, boîtier en or rose, 2021 (page de droite) ; contrôle du mouvement après assemblage (ci-dessus).

LOUIS VUITTON
0 10 20 30 40 50
S V U I T

Mouvements choisis

IV.

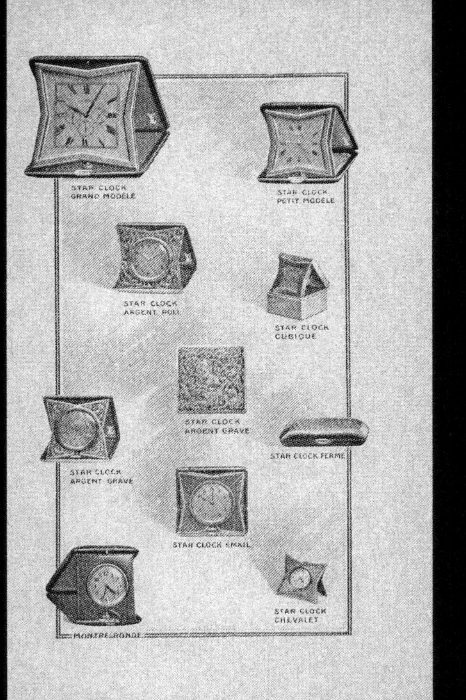

Star Clock, montres-réveils et pendulettes de voyage

ontre-bracelet Totem, créée par Gaston-Louis Vuitton

Tambour GMT Automatique

2002

Tambour Chronographe LV277

Tambour GMT Réveil

2003

Ouverture des Ateliers Horlogers à
La Chaux-de-Fonds, Suisse

Tambour Tourbillon Monogram

2004

Tambour Diving

2005

Tambour Lovely Cup

Tambour In Black Digitale

2006

Tambour Chronographe LV Cup

2007

Développement de nouveaux mouvements horlogers

Tambour Orientation

2008

Tambour Mystérieuse

Tambour Spin Time, conçue par La Fabrique du Temps

2009

Tambour In Black Réserve de marche

2010

Tambour Répétition Minutes

2011

Acquisition de La Fabrique du Temps, atelier horloger à Genève, Suisse

Tambour LV Cup Compte à rebours

Tambour Regatta America's Cup

2012

Acquisition de Léman Cadrans, cadranier à Genève, Suisse

Tambour Twin Chrono

Tambour Slim

2013

Tambour Spin Time Regatta

Tambour Heures du monde

Tambour Chronographe VVV

Tambour Slim Tourbillon

2014

2015

2016

Ouverture de la manufacture horlogère La Fabrique du Temps Louis Vuitton à Meyrin, Suisse

Tambour Moon Tourbillon Volant « Poinçon de Genève »

Tambour Horizon, montre connectée

2017

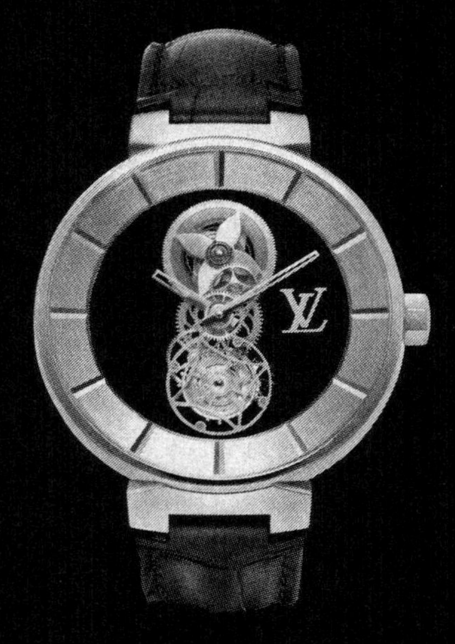

Tambour Moon Mystérieuse Tourbillon Volant

2018

Tambour Spin Time Air

2019

Tambour Curve Tourbillon Volant « Poinçon de Genève »

2020

Tambour Carpe Diem

Tambour Street Diver

2021

Remise des prix de l'audace (Tambour Carpe Diem) et de la montre de plongée (Tambour Street Diver) au Grand Prix de l'Horlogerie de Genève, Suisse

Tambour Twenty

2022

Mouvements choisis

1998

Montre LVI
dessinée par Gae Aulenti

Boîtier en or jaune 18 carats.
Mouvement à quartz, développé en exclusivité par IWC Schaffhausen, comprenant dix fonctions organisées autour d'un axe central unique, parmi lesquelles la date rétrograde, les phases de la Lune, le GMT et les vingt-quatre fuseaux horaires.

2002

Tambour GMT Automatique
première édition

Boîtier en acier inoxydable de 39,5 mm de diamètre.
Mouvement GMT à remontage automatique base ETA 2893.

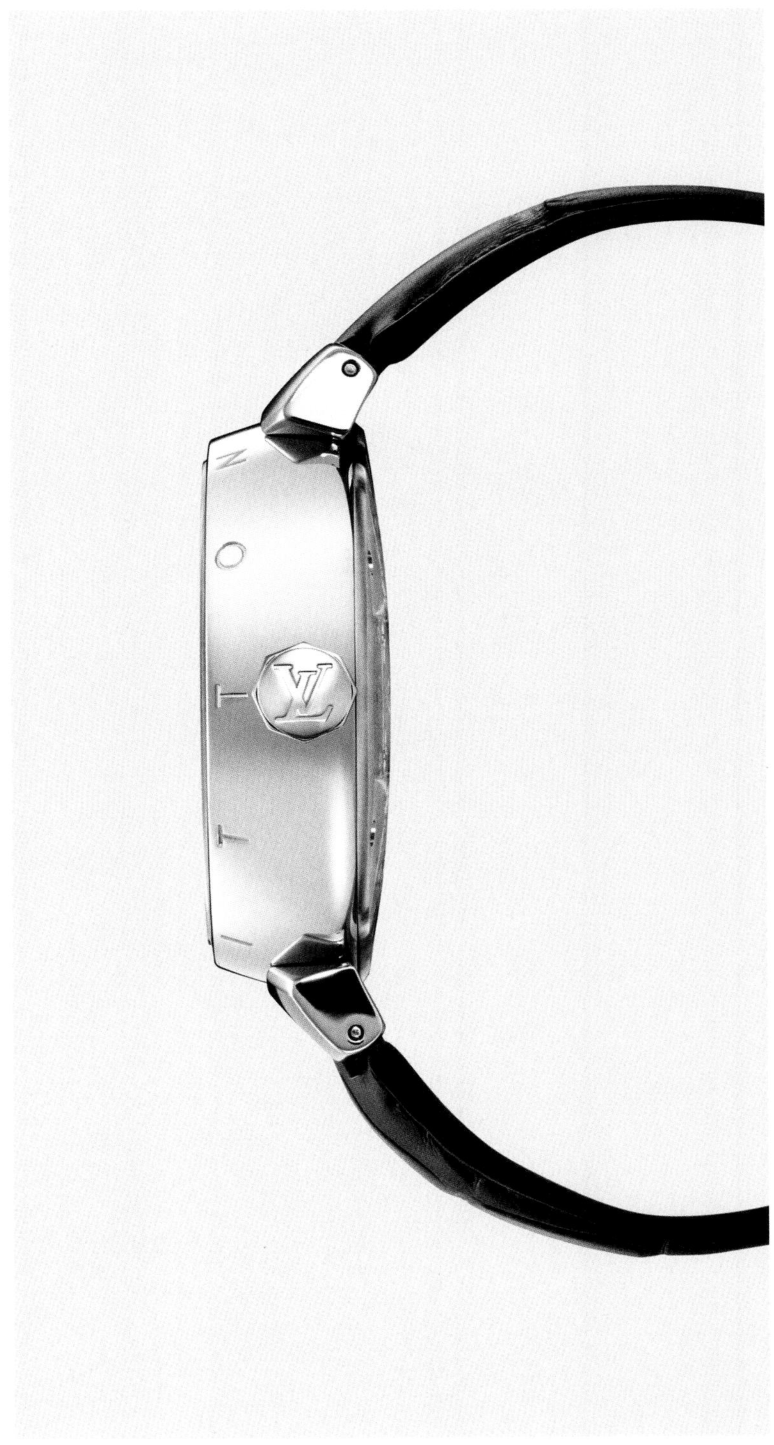

2002

Tambour Chronographe Automatique première édition

Boîtier en acier inoxydable de 41,5 mm de diamètre.
Mouvement chronographe à remontage automatique base ETA 2894.

2003

Tambour GMT Réveil
édition sable

Boîtier en or blanc 18 carats de 41,5 mm de diamètre.
Mouvement LV113 à remontage automatique avec fonctions GMT et réveil.
Édition limitée et numérotée à 150 exemplaires.

2003

Tambour Chronographe LV277
première édition

Boîtier en acier inoxydable de 41,5 mm de diamètre.
Calibre LV277 à remontage automatique, chronographe à haute fréquence certifié COSC.

2003

Tambour Chronographe LV277 édition sable

Boîtier en acier inoxydable de 41,5 mm de diamètre.
Calibre LV277 à remontage automatique, chronographe à haute fréquence certifié COSC.

2004

Tambour Tourbillon Monogram

Boîtier en or jaune 18 carats de 41,5 mm de diamètre.
Calibre mécanique LV103 à remontage manuel et régulateur à tourbillon, développé en exclusivité par La Joux-Perret pour Louis Vuitton.
À l'image des commandes spéciales réalisées par la maison depuis le XIXe siècle, cette première montre de haute horlogerie est personnalisable : ponts, platine, aiguilles, vis... Dix composants que le client peut choisir pour créer un modèle unique.

LOUIS VUITTON

LOUIS VUITTON
18K GOLD
SWISS MADE
100M
MADE IN
FRANCE

2005

Tambour Diving

Première montre de plongée Louis Vuitton.
Boîtier en acier inoxydable de 44 mm de diamètre, compteur en nacre de Tahiti.
Mouvement à remontage automatique base ETA 2895.
Fonction plongée assurée par un rehaut tournant unidirectionnel doté d'un secteur en superluminova, afin de mesurer le temps passé sous l'eau avec une lisibilité optimale.
Étanche à 300 mètres.

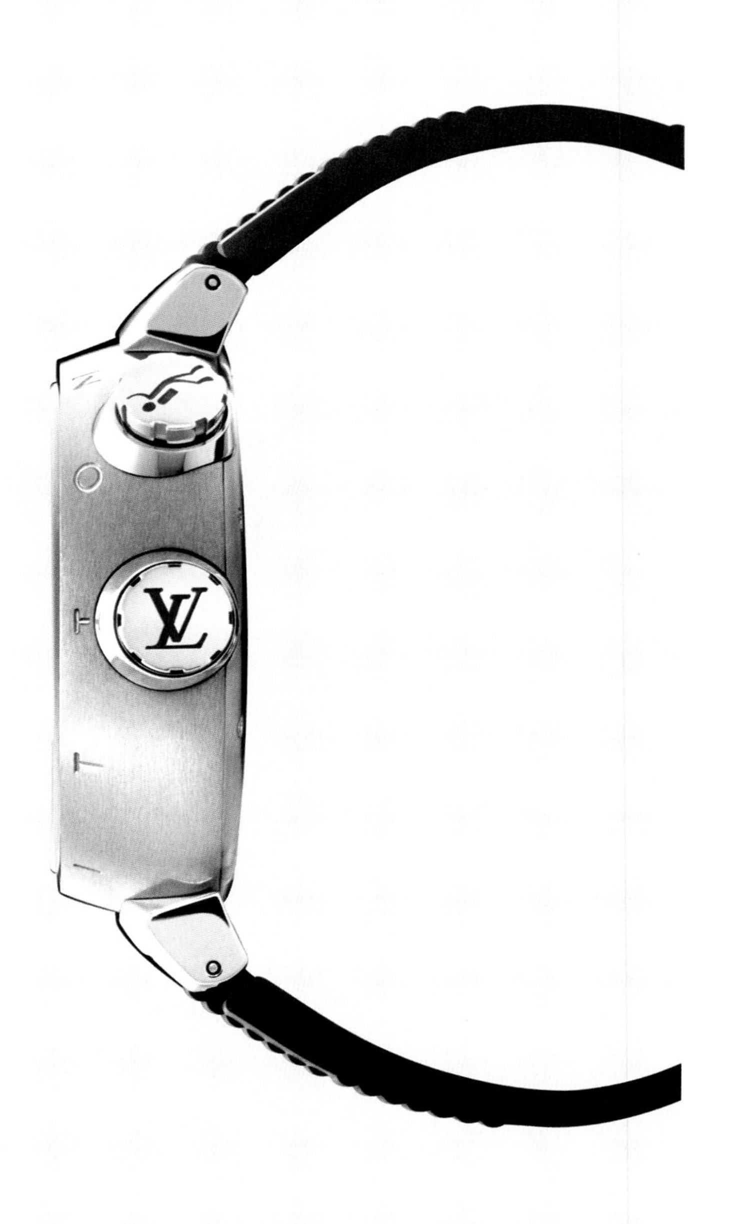

2006

Tambour In Black Digitale

Boîtier en acier inoxydable de 41,5 mm de diamètre.
Seul modèle créé par Louis Vuitton disposant d'un mouvement à quartz avec affichage digital et fonctions calendrier, GMT, réveil, chronographe et compte à rebours.

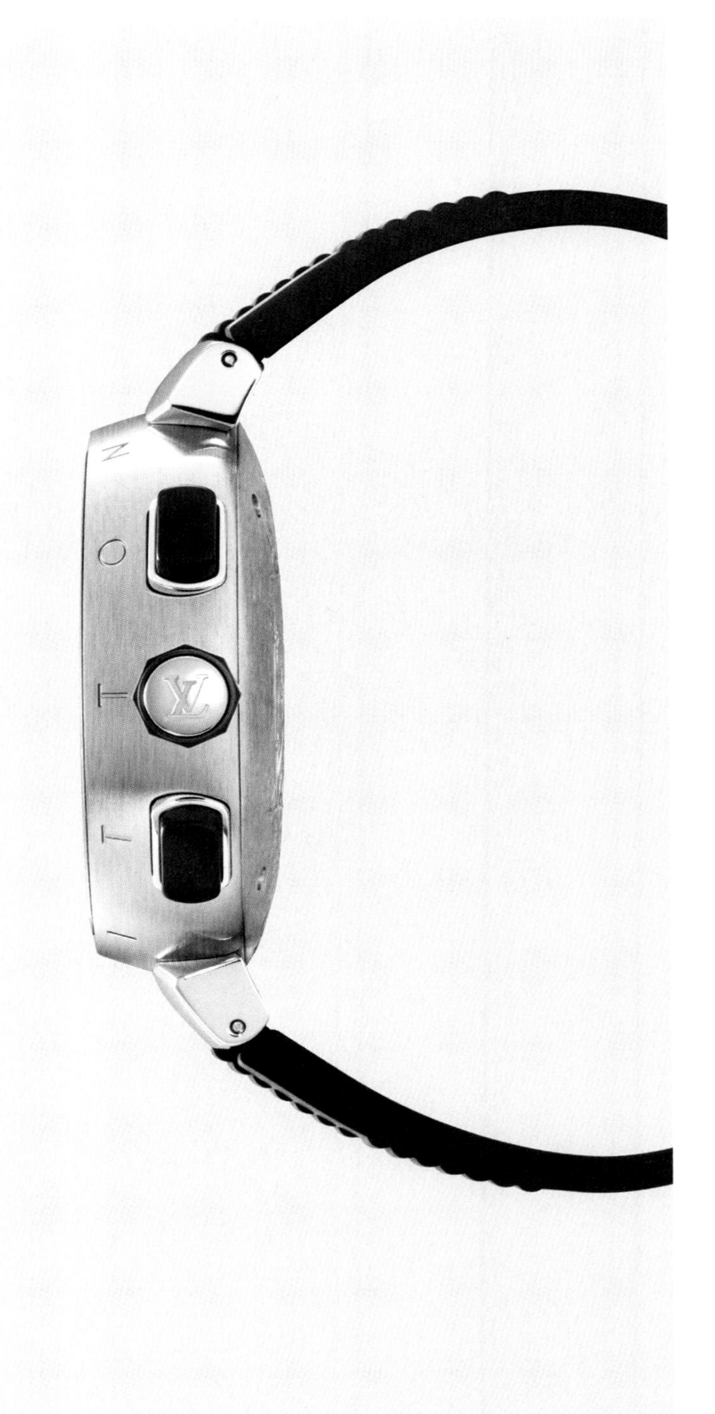

2006

Tambour Lovely Cup

Boîtier en acier inoxydable de 34 mm de diamètre, cadran en nacre blanche.
Mouvement à quartz avec fonction chronographe.
Clin d'œil à l'héritage nautique de la maison, les deux drapeaux figurant sous l'index, à 12 h, représentent les lettres LV dans l'alphabet marin.

2006

Tambour Bijou

Boîtier en acier inoxydable de 18 mm de diamètre, cadran en nacre blanche.
Mouvement à quartz.
Dépourvue de couronne pour ne pas perturber l'élégance de ses courbes, la mise à l'heure se fait par un bouton poussoir dissimulé au dos de la montre.

2007

Tambour Chronographe LV Cup

Boîtier en acier inoxydable de 44 mm de diamètre.
Calibre LV171 à remontage automatique, chronographe flyback avec fonction compte à rebours cinq minutes pour les régates.

VUITTON
LOUIS VUITTON
SWISS MADE
FORTY-FIVE
JEWELS
CALIBRE
LV 171
MADE IN
FRANCE

LOUIS VUITTON
45
30

SWISS MADE
FORTY-FIVE
JEWELS
CALIBRE

« J'aime les complications horlogères différentes qui affichent une personnalité qui leur est propre. L'horlogerie de Louis Vuitton possède un design et des fonctions que je ne retrouve pas ailleurs. »

« Ma pièce préférée est le tourbillon de la Tambour Moon Mystérieuse qui est emblématique du travail de cette maison. La conception de ce calibre qui semble suspendu dans les airs est captivante. »

Un cadavre ligoté dan
ouvert à la ga
FRÉDÉRIC R
La macabre découv
dans une malle
expédiée de la gare du No
à un pseudo-destinataire lillois
Qui est-ce ?
M. FRÉDÉRIC RIGAUD
SPIN TIME
AUTOMATIQUE
VUITTON

LOUIS
N° 7

« Je porte toutes les montres de ma collection, je les mets deux ou trois jours de suite et après je les change. Ce sont des objets vivants ! Ce sont mes bébés ! »

« L'un des aspects importants de ma collection est que je la transmettrai. Mes montres feront partie de l'héritage de mes enfants. J'espère qu'ils auront autant de plaisir que moi à lire l'heure sur ces garde-temps. Aucun homme n'a jamais transmis un téléphone portable ... »

Pièces en collection

Tambour Moon Mystérieuse Tourbillon Volant
Tambour Tourbillon Calibre 95
Tambour Spin Time Air
Tambour Spin Time Air Vivienne
Tambour Spin Time Color Blossom
Tambour Slim Tourbillon
Tambour Spin Time Régate
Tambour Volez II Chronographe
Tambour Lovely Cup
Tambour Horizon Graphite

2008

Tambour Orientation

Boîtier en acier inoxydable de 44 mm de diamètre, compteurs en nacre de Tahiti.
Calibre LV122 à remontage automatique dont le rehaut tournant permet d'indiquer le nord, quel que soit l'hémisphère dans lequel se trouve l'utilisateur.

2009

Tambour Mystérieuse

Boîtier en or blanc 18 carats de 42,5 mm de diamètre, indicateur de réserve de marche pavé de diamants et rubis.
Calibre LV109 à remontage manuel et réserve de marche de huit jours et huit heures.
Ce développement exclusif entre La Fabrique du Temps et le spécialiste Renaud et Papi est une première mondiale : l'ensemble du mouvement flotte au centre du cadran sans lien visible avec le boîtier et la couronne de réglage.

2009

Tambour Spin Time GMT

Boîtier en or blanc 18 carats de 44 mm de diamètre.
Calibre LV119 à remontage automatique avec fonctions Spin Time et GMT, développé et breveté par La Fabrique du Temps.
Inspiré par les panneaux à affichage rotatif des gares et aéroports, cet ingénieux dispositif dérivé des heures sautantes inaugure le premier d'une longue série de calibres brevetés par Louis Vuitton.

2009

Tambour Spin Time Lady

Boîtier en or blanc 18 carats de 39,5 mm de diamètre, serti de 588 diamants.
Calibre LV96 à remontage automatique avec fonction Spin Time, développé et breveté par La Fabrique du Temps.
Première utilisation de cet affichage à heures sautantes spécifique à Louis Vuitton dans une montre Tambour féminine et précieuse.

2011

Tambour Chronographe Volez

Boîtier en acier inoxydable de 44 mm de diamètre.
Calibre LV137 à remontage automatique, chronographe à fonction flyback.
Édition limitée et numérotée à 300 exemplaires.

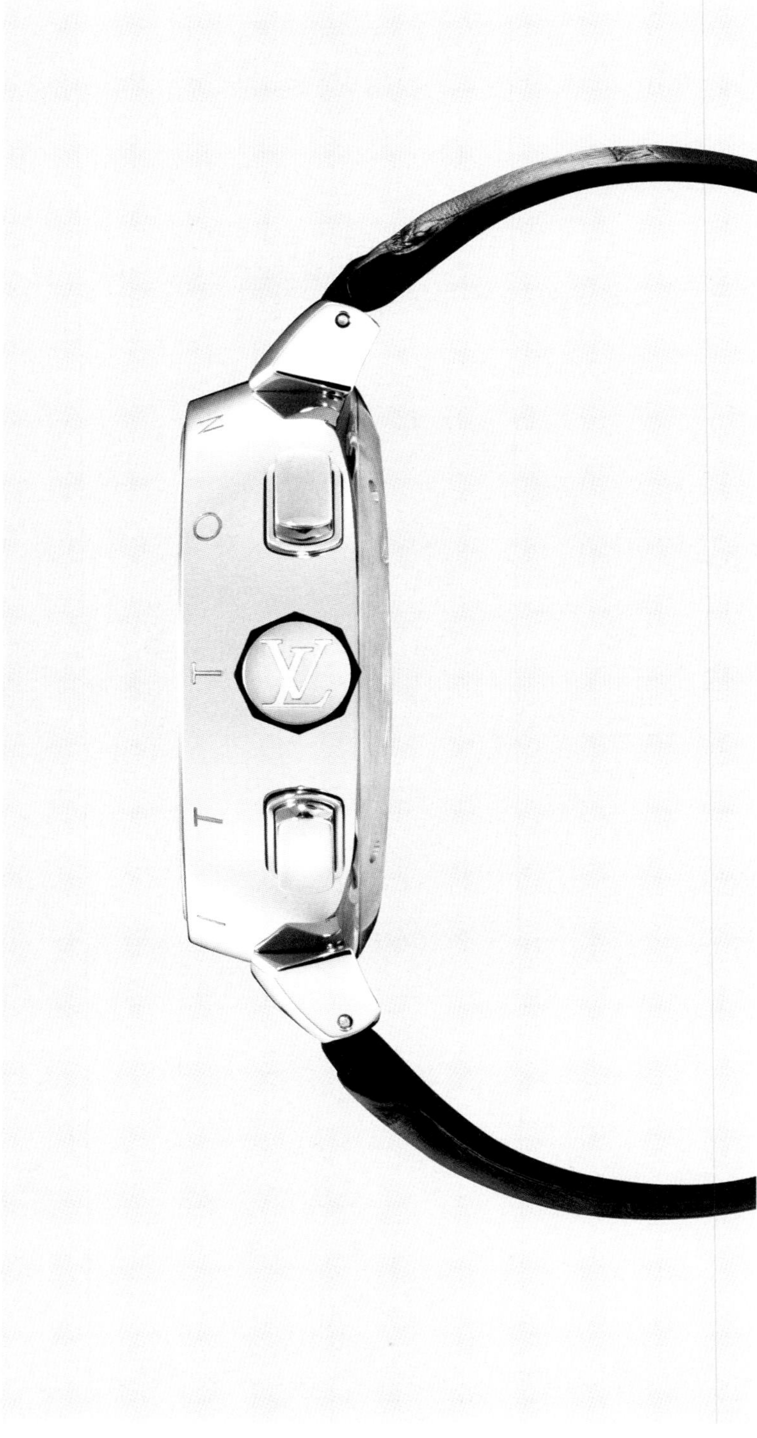

2011

Tambour Regatta

Boîtier en acier inoxydable de 44 mm de diamètre.
Mouvement à quartz avec fonctions chronographe, compte à rebours et réveil.

2011

Tambour Répétition Minutes

Boîtier en or blanc 18 carats de 44 mm de diamètre.
Calibre LV178 à remontage manuel, répétition minutes, GMT, indicateur jour/nuit et réserve de marche de cent heures.
Grande complication par excellence, développée par La Fabrique du Temps, cette répétition minutes présente la particularité de sonner l'heure de référence Home Time de son heureux possesseur, et non l'heure affichée par les aiguilles sur le cadran.

12
100H DE RESERVE
DE MARCHE
HOME
LOUIS VUITTON
REPETITION MINUTES
JOUR
NUIT
HOME TIME
SWISS MADE
30M
SWISS MADE
LOUIS VUITTON
CALIBRE LV178
THIRTY FOUR JEWELS
AU750 18K GOLD
SWISS MADE

2012

Tambour Chronographe Voyagez

Boîtier en or rose 18 carats de 44 mm de diamètre.
Calibre LV172 à remontage automatique, chronographe avec compteurs alignés sur un axe horizontal en hommage aux tableaux de bord automobile.
Édition spéciale remise aux vainqueurs du rallye Louis Vuitton Classic Serenissima Run, reliant Monaco à Venise.

2012

Tambour LV Cup Compte à rebours

Boîtier en acier inoxydable de 44 mm de diamètre.
Calibre LV138 à remontage automatique dont le compte à rebours sur cinq minutes, spécialement conçu pour les régates, et avec fonction flyback, s'active grâce aux poussoirs revêtus de caoutchouc sur le côté du boîtier.

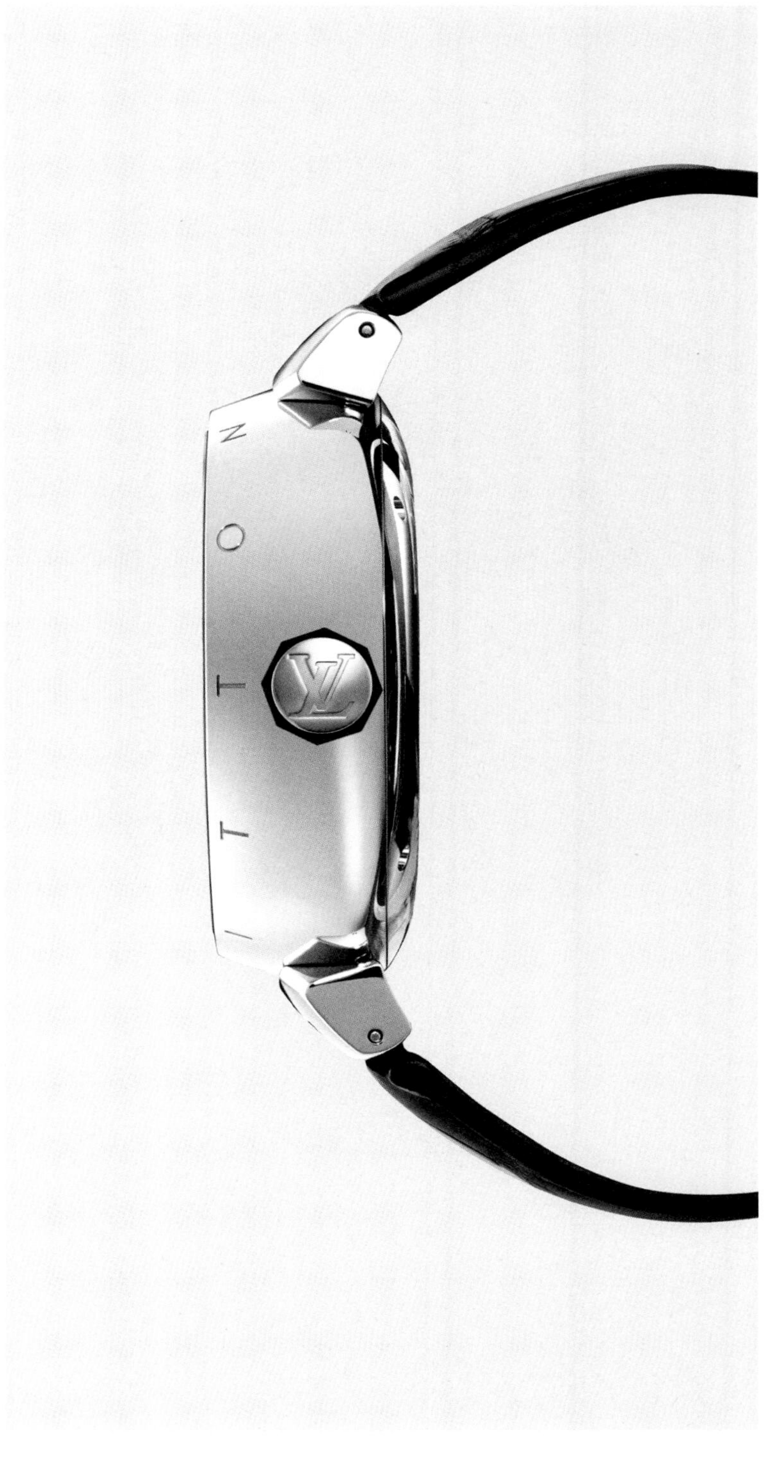

2012

Tambour Regatta
édition America's Cup

Boîtier en acier inoxydable revêtu de caoutchouc de 44 mm de diamètre. Mouvement à quartz avec fonctions chronographe, compte à rebours et réveil.
Édition limitée et numérotée à 1 851 exemplaires en hommage à la date de la première Coupe de l'America.

2013

Tambour Twin Chrono

Boîtier en or blanc 18 carats de 45,5 mm de diamètre, cadran en émail grand feu.
Véritable première mondiale ayant fait l'objet d'un dépôt de brevet, le calibre LV175 à remontage automatique, développé par La Fabrique du Temps, est le premier bi-chronographe monopoussoir à affichage différentiel de l'histoire.
Doté de 437 composants, dont quatre balanciers et une roue à colonne à trois niveaux, cette innovation a été créée pour célébrer le 30e anniversaire de la Louis Vuitton Cup.

« Louis Vuitton a la chance d’avoir deux maîtres horlogers exceptionnels, Michel Navas et Enrico Barbasini, qui ont les capacités de développer les meilleures montres de haute horlogerie au monde ! Ils ont perfectionné la fabrication et développé des calibres maison uniques en leur genre, qui rivalisent avec les modèles conçus par les grands noms de cet univers. »

« J'ai une passion pour les crânes et les têtes de mort qui sont inhérents à la destinée de l'Homme. Car la seule chose dont on soit sûr dans la vie, c'est qu'on va mourir. J'ai demandé à Louis Vuitton de réaliser une commande spéciale sur ce thème particulier, une montre à jacquemarts animée de plusieurs couples de squelettes. Le résultat d'un point de vue des métiers d'art, notamment la gravure des personnages, est extraordinaire. »

Pièces en collection

Tambour Répétition Minutes à jacquemarts
Tambour Curve Tourbillon Volant « Poinçon de Genève »
Tambour Répétition Minutes
Tambour Tourbillon Monogram
Tambour Slim Tourbillon Monogram Aventurine
Tambour Slim Tourbillon Monogram Saphir
Tambour Spin Time GMT
Tambour Spin Time Color Blossom
Tambour Voyagez II Chronographe
Tambour LV Cup Chronographe
Tambour Damier Graphite Race Chronographe
Tambour Silver Dust Chronographe
Tambour Lovely Diamonds Evening
Tambour In Black Digitale
Tambour Horizon Monogram

LV

2014

Tambour Spin Time Regatta

Boîtier en titane de 45,5 mm de diamètre.
Calibre LV156 à remontage automatique, développé par La Fabrique du Temps combinant pour la première fois un chronographe à un compte à rebours Spin Time, spécialement conçu pour les régates. Un poussoir spécifique permet d'alterner les fonctions chronographe et compte à rebours.

2015

Tambour Chronographe VVV

Boîtier en acier inoxydable de 44 mm de diamètre.
Calibre LV168 à remontage automatique, chronographe avec aiguille des minutes au centre, dont la forme en V est inspirée des collections de maroquinerie du défilé homme printemps-été 2015.

2015

Tambour Heures du monde

Boîtier en acier inoxydable de 44 mm de diamètre.
Calibre LV101 à remontage automatique avec fonction GMT et sélection des villes associées par un bouton poussoir dédié.

2017

Tambour Horizon

Première génération de montres connectées Louis Vuitton.
Boîtier en acier poli de 42 mm de diamètre.
Système d'exploitation Wear OS by Google.
Cadrans digitaux et fonctionnalités exclusives, inspirés des codes esthétiques et de l'esprit du voyage de Louis Vuitton.

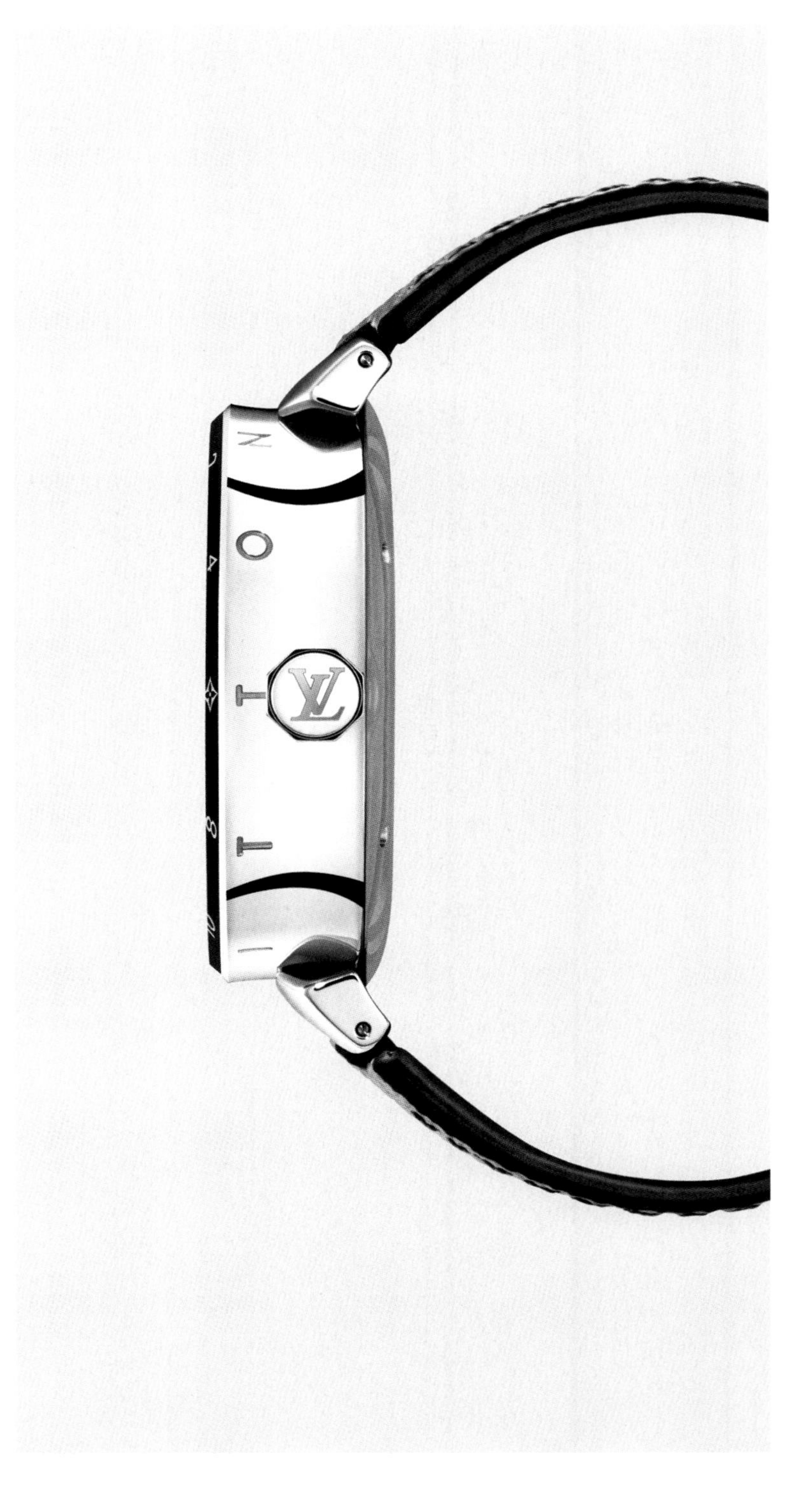

2018

Tambour Moon Mystérieuse Tourbillon Volant

Boîtier en or blanc 18 carats de 45 mm de diamètre.
Calibre LV110 à remontage manuel, développé par La Fabrique du Temps.
Ce tourbillon volant mystérieux dispose de huit jours de réserve de marche grâce à un double barillet. Le mouvement est magnifié par un savant dispositif de disques en saphir.

50M SWISS MADE
LA FABRIQUE DU TEMPS
TWENTY TWO JEWELS
8 DAYS
LOUIS VUITTON
Pt 950

2019

Tambour Spin Time Air

Boîtier en or blanc 18 carats de 42,5 mm de diamètre.
Calibre LV88 à remontage automatique, développé par La Fabrique du Temps, avec fonction Spin Time.
Pour les dix ans de son premier mouvement breveté, la manufacture revisite son concept d'heures sautantes dans un calibre aérien : les cubes dédiés à l'affichage des heures sont en suspension autour du mouvement central.

10
12
8
SPIN TIME
AUTOMATIQUE

SPIN TIME
AUTOMATIQUE

2019

Tambour Moon Tourbillon Volant « Poinçon de Genève »

Boîtier en or rose 18 carats de 42,5 mm de diamètre.
Calibre LV99 à remontage manuel et régulateur à tourbillon volant, développé par La Fabrique du Temps et certifié du Poinçon de Genève. Fidèle à sa tradition de personnalisation, la maison offre ici le seul modèle du marché avec un calibre tourbillon volant dont on peut personnaliser le pont.

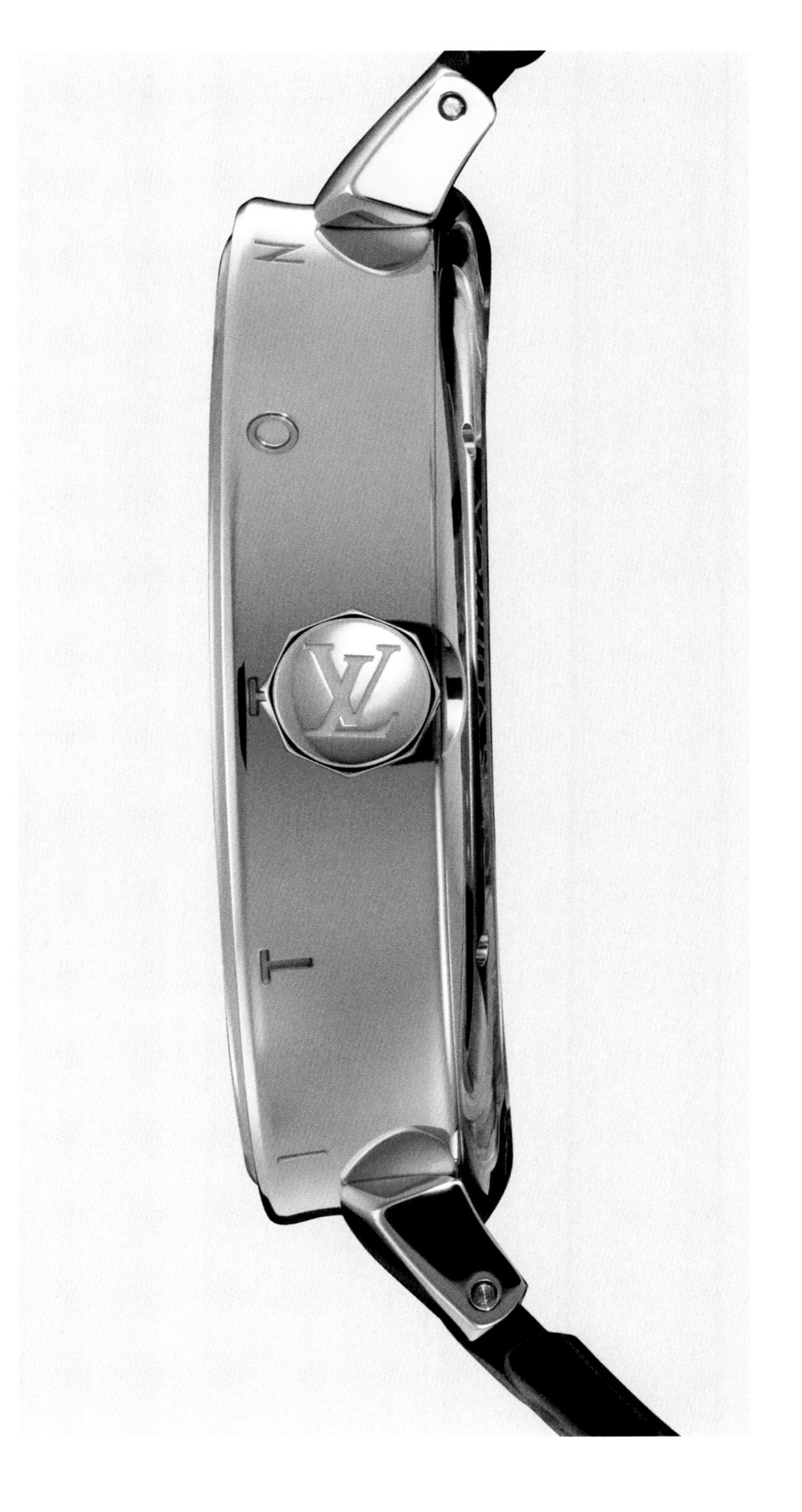

LOUIS
GENEVE

2020

Tambour Curve Tourbillon Volant « Poinçon de Genève »

Boîtier en titane et CarboStratum de 46 mm de diamètre.
Calibre LV108 à remontage manuel et régulateur à tourbillon volant, développé par La Fabrique du Temps et certifié du Poinçon de Genève. Avec ses technologies d'avant-garde alliées au savoir-faire traditionnel de la haute horlogerie, ce modèle futuriste et ultra-léger utilise pour son habillage des matériaux issus de l'aéronautique.

Madame C., collectionneuse à Crans-Montana, Suisse

« Mon goût pour les garde-temps vient de mon père. Il travaillait à la Poste mais son plus grand plaisir était de réparer des montres. De voir le mystère de ces petits mécanismes révélé au grand jour avec leurs roues, leurs ponts et leurs platines me fascinait. »

« Je me considère comme une collectionneuse. J'ai une centaine de montres dont une quinzaine de pièces horlogères de Louis Vuitton. Ce n'est pas une collection d'investissement car je porte tous les garde-temps que je possède. Je passe des heures à regarder les mécanismes de mes montres, cela m'hypnotise. »

LOUIS VUITTON

« À chaque fois que Michel Navas crée une nouvelle montre, j'ai du mal à résister ! Et plus c'est technique et compliqué, plus cela me plaît. Je retrouve la créativité de Louis Vuitton dans ses collections horlogères. »

Pièces en collection

Tambour Curve Tourbillon Volant « Poinçon de Genève »
Tambour Moon Tourbillon Volant « Poinçon de Genève »
Tambour Moon Mystérieuse Tourbillon Volant
Tambour Slim Vivienne Jumping Hours Casino
Tambour Spin Time Air
Tambour Street Diver
Tambour Moon Divine
Tambour Moon Star
Tambour Lovely Cup

2021

Tambour Street Diver

Boîtier en acier inoxydable de 44 mm de diamètre.
Mouvement à remontage automatique base ETA 2895.
Étanche à 100 mètres.
Modèle récompensé par le prix de la montre de plongée au Grand Prix de l'Horlogerie de Genève 2021.

LOUIS VUITTON
AUTOMATIQUE
50
40
30
20
SWISS
MADE

2021

Tambour Carpe Diem

Boîtier en or rose de 46,8 mm de diamètre, émail et peinture miniature signées Anita Porchet, gravures réalisées par Dick Steenman. Calibre LV525 à remontage manuel, développé par La Fabrique du Temps et faisant l'objet d'une demande de plusieurs brevets. Mécanisme à jacquemarts avec quatre animations, heures sautantes, minute rétrograde et indicateur de réserve de marche. Cette pièce virtuose, récompensée par le prix de l'audace au Grand Prix de l'Horlogerie de Genève 2021, marque, au-delà de son design, une prouesse technique : la fonction jaquemart est utilisée pour afficher l'heure à la demande, via une véritable animation scénique d'une durée de 16 secondes.

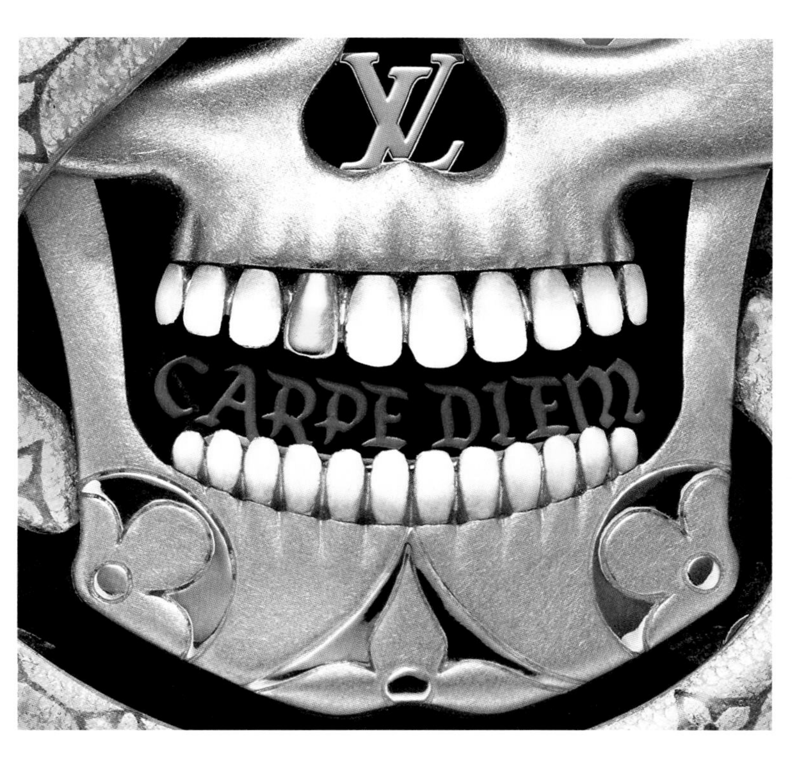
CARPE DIEM

LOUIS VUITTO
0 10 20 30 40 50

2022

Tambour Horizon Light Up

Troisième génération de montres connectées Louis Vuitton.
Boîtier en acier poli de 44 mm de diamètre avec glace en verre saphir galbé.
Anneau rétroéclairé de 24 LEDs en fleurs de Monogram, capteur de fréquence cardiaque.
Système d'exploitation spécialement développé par Louis Vuitton.
Cadrans digitaux et fonctionnalités exclusives inspirés des codes esthétiques et de l'esprit du voyage de Louis Vuitton.

2022

Tambour Twenty
édition anniversaire

Boîtier en acier inoxydable de 41,5 mm de diamètre.
Mouvement LV277 à remontage automatique, chronographe à haute fréquence.
Édition limitée à 200 pièces célébrant les vingt ans de la première montre Tambour.

20
12
TWENTY

LOUIS VUITTON
XX0000 GA174
100 M
SWISS MADE
TWENTY
STAINLESS STEEL
LIMITED EDITION
200 PIECES
CHRONOGRAPHE
CAL. LV 277
SWISS MADE
THIRTY-ONE JEWELS (31)
MADE IN
FRANCE

LOUIS VUITTON
AUTOMATIQUE
TWENTY

Sources

À l'exception des mentions ci-dessous, les citations proviennent d'entretiens menés par l'auteur pour cet ouvrage.

p. 19 : « une époque de l'histoire humaine où le concept du temps et sa mesure s'apprêtent à subir des bouleversements grandioses et irréversibles »

Franco Cologni, *Cartier. La montre Tank*, Flammarion, Paris, 2017.

p. 26 : « Monsieur Racamier voulait une montre. Et j'avais envie de travailler sur de petits objets [...]. J'aimais bien cette idée de voyage et de mémoire du temps. »

Gae Aulenti, interview pour le film institutionnel Louis Vuitton *Itinéraires de création*, 1988.

p. 29 : « C'était complètement fou de proposer si rapidement une pièce à tourbillon ... Mais nous voulions conquérir notre légitimité dans cet univers en frappant les esprits. »

Yves Carcelle, entretien avec l'auteur, 2005.

p. 66 : « Il n'y a aucun autre exemple de produit inventé au XIXe siècle qui soit toujours aussi actuel au XXIe... Ce n'est pas un logo, c'est une signature, un symbole universel et intemporel qui a donné naissance à la notion du luxe moderne. »

Yves Carcelle, entretien avec l'auteur, 2002.

p. 67 : « Notre objectif est d'élargir la notion de voyage au-delà de sa dimension géographique, de le présenter en tant que découverte personnelle. »

Pietro Beccari, entretien avec l'auteur, 2008.

p. 148-151 : « [Ce modèle] est beau mais il n'est pas conventionnellement beau. Il est luxueux, avec ses débauches de matières nobles, mais c'est le concept qui préside à sa création qui est son plus grand apparat, ce point de départ arbitraire et génial d'une production, le caprice originel qui a requis, pour être matérialisé, toute l'inventivité et la persévérance des équipes techniques, mises au défi de réaliser l'idée lancée en quelques secondes par l'intuition du [créateur]. »

Jill Gasparina, in *Louis Vuitton. Art, mode et architecture*, Rizzoli, New York, 2009 (édition 2017), p. 42.

Remerciements

L'auteur tient à remercier particulièrement Michael Burke et Jean Arnault pour la pertinence de leurs visions. L'auteur adresse aussi sa reconnaissance la plus sincère à l'ensemble des équipes de La Fabrique du Temps à Meyrin – Michel Navas, Enrico Barbasini et José Fernandes en tête – et de Louis Vuitton à Paris, sans lesquelles la réalisation de ce livre aurait été impossible. *In fine*, Hamdi Chatti, Jean-Louis Roblin et Sophie Gachet ont été d'une précieuse aide. Qu'ils en soient tous ici remerciés.

Remerciements également à Laurie Adorno, Amélie Andersson, Megan Bailey, Mathieu Berthemy, David Binanzer, Thaïs Blocus, Inès Boufouchk, Stefano Cantino, Max Chollet, Diane Cinaud, Ségolène Claude, Loraine Devaux, Cécile Durieux, Allan Evensen, Bettina Frenot, Lucien Fournier, Karolina Galluffo, Isabelle Des Garets, Daniela Gontijo, Pénélope Guedj, Julien Guerrier, Maxime Guyon, Virginie Hairanian, Catherine Lacaze, Malik Lacheheb, Laura Lingibe, Caroline Main, Bianca Manley, Bleue-Marine Massard, Andrezza Mastiguim, Patrick Mauriès, Sébastien Michelini, Carène Monnet, Thomas Nicolas, Émilie Pouget, Thibaut Pellegrin, Adrien Pilet, Christel Piredda, Patrick Remy, Eva Rica, Fanny Rullon, Dessy Sagita, Jiaxian Su, Hélène Tarrade et Anthony Vessot ; aux équipes de Thames & Hudson Ltd à Londres : Susanna Ingram, Corinna Parker, Jill Phythian, Sabrina Ruia, Adélia Sabatini, Flora Spiegel et Clare Turner ; aux relecteurs Guillaume Müller-Labé et Sylvie Philippon ; ainsi qu'aux iconographes Fredrika Lokholm et Jo Walton.

Crédits iconographiques

Légende : h = en haut, b = en bas, c = au centre, g = à gauche, d = à droite.

9-10 © Louis Vuitton Malletier/Maxime Guyon

11 © Louis Vuitton Malletier. Photo © Régis Golay/Federal-studio.com

12-16 © Louis Vuitton Malletier/Maxime Guyon

18h © Archives Louis Vuitton Malletier

20-22 © Archives Louis Vuitton Malletier

24h © Aldo Ballo/ballo+ballo

24b © Archives Louis Vuitton Malletier

25 © Louis Vuitton Malletier/Maxime Guyon

26-27 © Louis Vuitton Malletier. Photo © Jean Larivière

28 © RMN-Grand Palais (musée du Louvre)/ Jean-Gilles Berizzi

32, 35h © Louis Vuitton Malletier. Photo © Mitchell Feinberg

35bg © Louis Vuitton Malletier/Maxime Guyon

36 © Louis Vuitton Malletier. Photo © Mitchell Feinberg

37 © Louis Vuitton Malletier. Photo © vincentrougeau-studio.com

38 © Louis Vuitton Malletier. Photo © Guillaume Plisson

39 © Louis Vuitton Malletier. Photo © Mitchell Feinberg

40 © Louis Vuitton Malletier. Photo © Fabien Sarazin/Agence Ôpos

41 © Louis Vuitton Malletier. Photo © Mitchell Feinberg

42-43 © Louis Vuitton Malletier. Photo © Piotr Stoklosa

44 © Philippe Fragnière

46 © Louis Vuitton Malletier. Photo © Paul Lepreux

48 © Louis Vuitton Malletier. Photo © Régis Golay/Federal-studio.com

50-51 © Louis Vuitton Malletier. Photo © Laziz Hamani

52 © Louis Vuitton Malletier. Photo © Ulysse Frechelin

53h © Louis Vuitton Malletier. Photo © Piotr Stoklosa

53b © Louis Vuitton Malletier. Photo © Dan Tobin Smith/Art Partner

55-56 © Louis Vuitton Malletier/Maxime Guyon

57 © Archives Louis Vuitton Malletier

58-59 © Louis Vuitton Malletier/Maxime Guyon

60 © Louis Vuitton Malletier. Photo © Toby McFarlan Pond

61-62 © Louis Vuitton Malletier/Maxime Guyon

69h © Louis Vuitton Malletier. Photo © Mitchell Feinberg

69b © Louis Vuitton Malletier/LB Production

72-73 © Louis Vuitton Malletier. Photo © Jean Larivière

74 © Louis Vuitton Malletier. Photo © Mitchell Feinberg

75 © Louis Vuitton Malletier. Photo © Paolo Roversi/Art + Commerce. Mannequins Michael Hope, Fionn MacDiarmid, Steve Morgan, Conrad

76 © Éric Maillet/*Numéro Homme*

77 © Louis Vuitton Malletier. Photo © Greg Kadel/Trunk Archive

78 © Louis Vuitton Malletier. Photo © Mitchell Feinberg

79 © Éric Maillet/*Numéro Homme*

80 © Louis Vuitton Malletier. Photo © Mel Bles/Webber

81 © Paola Kudacki/Trunk Archive. Mannequin Constance Jablonski, Viva Paris

82-83 © Louis Vuitton Malletier. Photo © Mert Alaş & Marcus Piggott/Art Partner. Mannequin Pharrell Williams

84b © Louis Vuitton Malletier. Photo © Daniel Shea/Webber

86bg © Louis Vuitton Malletier. Photo © Guillaume Plisson

86d © Louis Vuitton Malletier. Photo © Alain Costa

87h © Behrouz Mehri/AFP via Getty Images

87b © Louis Vuitton Malletier. Photo © Sébastien Coindre

88-89 © Louis Vuitton Malletier. Photo © Dan Tobin Smith/Art Partner

91 © Louis Vuitton Malletier. Photo © Martin Parr/Magnum Photos

92hg © 2020, Guido Mocafico, publié dans *Numéro Homme* 40

92hd © 2019, Guido Mocafico, publié dans *Numéro* 208

92b © 2011, Guido Mocafico, publié dans *Numéro* 122

93 © Éric Maillet/*Numéro Homme*

94 © Erwan Frotin/Art + Commerce

95 © Frank Hülsbömer

96 © Louis Vuitton Malletier. Photo © Mitchell Feinberg

97 © Louis Vuitton Malletier. Photo © Daniel Jackson/Art + Commerce. Mannequin Agyness Deyn

98, 99h © Louis Vuitton Malletier. Photo © Ulysse Frechelin

99b © Louis Vuitton Malletier. Photo © Johan Sandberg

100-101 © Louis Vuitton Malletier. Photo © Bruno Aveillan. Mannequin Ben Hill, dna Model Management

102 © Louis Vuitton Malletier. Photo © Alain Costa

103 © Louis Vuitton Malletier. Photo © Annie Leibovitz/Trunk Archive. Mannequin Sean Connery

104 © Louis Vuitton Malletier. Photo © David Sims/Art Partner. Mannequin David Bowie

105 © Louis Vuitton Malletier. Photo © Coppi Barbieri

106-107 © Louis Vuitton Malletier. Photo © Mikael Jansson/Trunk Archive

108b © Louis Vuitton Malletier. Photo © Jacob Sutton/Art Partner. Mannequin Cloud Modi, dna Model Management

110h © Louis Vuitton Malletier. Photo © Kenta Cobayashi

110b © Louis Vuitton Malletier. Photo © Jean-Vincent Simonet

111 © Louis Vuitton Malletier. Photo © Kenta Cobayashi. Mannequin Alexander Mancuso

112, 113hd © Frédérique Dumoulin-Bonnet/ Java Fashion

115hg © Catwalkpictures.com

115hd © Victor Virgile/Gamma-Rapho via Getty Images

115b © Louis Vuitton Malletier. Photo © Stéphane Muratet

116bd Création © Christopher Nemeth

117 © Ludwig Bonnet/Java Fashion

118 © Louis Vuitton Malletier. LV HANDS © 2007 Takashi Murakami/Kaikai Kiki Co, Ltd. Droits réservés

119 © Louis Vuitton Malletier/Monogram Multicolore par Takashi Murakami pour Louis Vuitton

120, 121hg © Louis Vuitton Malletier. Photo © Alain Costa

121hd © Louis Vuitton Malletier. Photo © Stéphane Muratet

122 © Louis Vuitton Malletier. Photo © Régis Golay/Federal-studio.com

123 © Louis Vuitton Malletier/Maxime Guyon

124 © Louis Vuitton Malletier. Photo © Philippe Lacombe

125 © Louis Vuitton Malletier/Maxime Guyon

126h © Louis Vuitton Malletier. Photo © Olivier Arnaud

126bg © Louis Vuitton Malletier. Photo © Paul Lepreux

126bd, 127, 128h © Louis Vuitton Malletier. Photo © Régis Golay/Federal-studio.com

128b © Louis Vuitton Malletier. Photo © vincentrougeau-studio.com

130 © Louis Vuitton Malletier. Photo © Philippe Lacombe

131 © Louis Vuitton Malletier. Photo © Régis Golay/Federal-studio.com

133 © Louis Vuitton Malletier/Maxime Guyon

136 © Louis Vuitton Malletier. Photo © Florence Joubert

137-139 © Louis Vuitton Malletier. Photo © Régis Golay/Federal-studio.com

140 © Louis Vuitton Malletier/Maxime Guyon

145 © Louis Vuitton Malletier. Photo © Piotr Stoklosa

146 © Louis Vuitton Malletier. Photo © Florence Joubert

149 © Louis Vuitton Malletier. Photo © Régis Golay/Federal-studio.com

150 © Louis Vuitton Malletier. Photo © Piotr Stoklosa

152-153 © Louis Vuitton Malletier. Photo © Gérard Uféras

154-156 © Louis Vuitton Malletier. Photo © Piotr Stoklosa

157 © J. Atti Gili

158-159 © Louis Vuitton Malletier. Photo © Piotr Stoklosa

160 © Louis Vuitton Malletier. Photo © Assouline Publishing/Oberto Gili

161-162 © Gueorgui Pinkhassov/Magnum Photos

163 © Louis Vuitton Malletier. Photo © Gérard Uféras

164-165 © Louis Vuitton Malletier. Photo © Piotr Stoklosa

166-167 © Louis Vuitton Malletier. Photo © Gérard Uféras

168-169 © Louis Vuitton Malletier. Photo © Bruno Aveillan

170 © Oberto Gili

171 © Louis Vuitton Malletier. Photo © Gérard Uféras

173 © Louis Vuitton Malletier. Photo © Assouline Publishing/J. Atti Gili

174-175 © Louis Vuitton Malletier. Photo © Jan Turnbull

176-177 © Louis Vuitton Malletier. Photo © Florence Joubert

178-179 © J. Atti Gili

180-181 © Louis Vuitton Malletier. Photo © Piotr Stoklosa

182 © J. Atti Gili

183-189 © Louis Vuitton Malletier. Photo © Régis Golay/Federal-studio.com

190, 193 © Louis Vuitton Malletier. Photo © Ulysse Frechelin

195g et c © Archives Louis Vuitton Malletier

195d, 196h, 197h © Louis Vuitton Malletier/ Maxime Guyon

197bd © Louis Vuitton Malletier. Photo © Piotr Stoklosa

198, 199h © Louis Vuitton Malletier/Maxime Guyon

199bg © Louis Vuitton Malletier. Photo © Piotr Stoklosa

199bc © Louis Vuitton Malletier. Photo © Florence Joubert

200h © Louis Vuitton Malletier/Maxime Guyon

200 bg © Louis Vuitton Malletier. Photo © Piotr Stoklosa

201, 202h © Louis Vuitton Malletier/Maxime Guyon

202bc © G. Maillot/point-of-views.ch

204-217 © Louis Vuitton Malletier/Maxime Guyon

218-221 © Louis Vuitton Malletier/Hosanna Swee

222-233 © Louis Vuitton Malletier/Maxime Guyon

234-237 © Louis Vuitton Malletier/Fran Parente

238-249 © Louis Vuitton Malletier/Maxime Guyon

250-253 © Louis Vuitton Malletier. Photo © Régis Golay/Federal-studio.com

254-261 © Louis Vuitton Malletier/Maxime Guyon

L'édition originale de cet ouvrage a paru en 2022
au Royaume-Uni sous le titre *Louis Vuitton Tambour*
chez Thames & Hudson Ltd, Londres

Textes : Fabienne Reybaud
Direction artistique et graphisme : Maximage
Caractères typographiques : Selecta LV (Maxitype), Supreme (Lineto)

Cet ouvrage a été reproduit et achevé d'imprimer en septembre 2022
par l'imprimerie Verona Libri, Italie, et sérigraphié par Lorenz Boegli, Suisse.

Dépôt legal : 4e trimestre 2022

ISBN 978-0-500-02610-6